Bernardo de Worms

O fogo secreto

Bernardo de Worms

Published by Bernardo de Worms, 2023.

O FOGO SECRETO

First edition. December 7, 2023.

ISBN: 979-8223155157

Written by Bernardo de Worms.

Sumário

O FOGO SECRETO

BERNARDO DE WORMS

O FOGO SECRETO

I. MATÉRIA E ESPÍRITO.

Estas são as duas dimensões do homem, sua força e sua prisão. O SER vem do NÃO-SER, o inconsciente gera o consciente, assim como a luz tem sua origem nas trevas. Hegel: "O inconsciente jamais teria empreendido a vasta e laboriosa tarefa de desenvolver o universo, a não ser na esperança de alcançar uma consciência clara de si mesmo". Então as trevas decidiram se tornar luz. "Haja luz. E havia luz." A Luz é o fogo do Espírito, e suas faíscas foram encapsuladas na Matéria, que é seu veículo. Os poetas sentem isso. Lamartine: "O homem é um deus caído, que ainda se lembra dos céus".

A matéria é regida pelas leis da necessidade. Além da Matéria, o espírito é livre e eterno. Hermes nos diz: "As almas gemem, reclamam e tentam se rebelar contra seu destino quando o Chefe das Almas as arranca à força de sua morada e as força a um corpo".

No entanto, a Matéria é o veículo e o caminho da consciência. O homem compreende três avatares: a alma, que é a luz nascida das trevas, sua força vital; o espírito, que é o fogo, a energia para a aquisição do conhecimento. E o que faltava era matéria, que é o filho, o "filho do homem", existência no Universo, o inverso, a réplica exata das trevas, do nada, que é a origem de tudo.

O Universo, o Cosmos, também tem uma alma, um espírito e um corpo material. A mecânica quântica prova que o Universo é autoconsciente: um átomo, que se comporta ora como uma partícula, ora como uma onda, depende de ter sido observado ou não. Existem técnicas comprovadas para experimentar isso.

A alma do cosmos, e também a do homem, o microcosmo, é cercada por uma essência plástica, que é a raiz dos fenômenos. O pensamento, o Logos, cria coisas. Se não víssemos a Lua e se não pensássemos nela, ela não existiria. Berkeley oferece o seguinte experimento: uma garrafa colocada precariamente sobre uma mesa começa a rolar, cai no chão e explode em mil pedaços. Se não houver ninguém por perto para ouvir o barulho. Havia esse barulho? Qualquer filósofo idealista diria que não.

Prisão, sim. Mas não totalmente isolado. O velho e experiente prisioneiro até usa ratos para se comunicar com o mundo exterior.

O homem do nosso século, do século XXI, do século que tinha de ser espiritual ou não ser, está mais perdido e desnorteado do que nunca. Igrejas e seitas de todas as denominações o decepcionaram com suas atividades mundanas, pelo menos no que diz respeito ao homem ocidental. O catolicismo com sua Inquisição e seu compromisso com ditaduras como a de Franco ou as do Cone Sul da América Latina, o islamismo com o terrorismo islâmico, o judaísmo com suas políticas sionistas. O pensamento positivista, predominante na ciência e na filosofia desde o século XIX, parece desacreditar definitivamente qualquer caminho espiritual. Só acreditamos no que pode ser medido e calculado com instrumentos físicos. A vida moderna multiplicou nossas necessidades pela unidade seguida de muitos zeros. Para satisfazê-los, nos tornamos escravos muito mais miseráveis e infelizes do que aqueles que viviam nos tempos do Império Romano, porque tinham um ritmo mais pacífico, de acordo com as características e atividades das várias estações, de acordo com uma economia essencialmente agrícola. Considerando que, no que nos diz respeito, os nossos relógios não têm horas suficientes, em todas as estações do ano, para restringir a nossa devoção ao trabalho; o que, para a grande maioria, é suficiente apenas para cobrir, com grande dificuldade, o imenso e pesado manto da multiplicidade de necessidades que criamos para nós mesmos.

Foram-se as noites junto ao fogo onde a voz da experiência contava histórias e conselhos para a edificação da juventude. Hoje em dia, ao fim de um dia de trabalho, depois de termos conseguido atravessar os engarrafamentos que bloqueiam os cinturões das grandes cidades, tarefa que nos pode demorar várias horas a realizar, chegamos à nossa casa, que não é a nossa casa, consumimos a comida preparada, levada de passagem em qualquer supermercado, e assistimos durante algumas horas ao lixo televisivo envolto em propaganda despudorada de uma visão e exercício do mundo que apodrece e nos envenena, antes de dormir cedo porque estamos exaustos de tantas idas e vindas à toa. O fim de semana chega e partimos em massa para a Grande Babilônia.

O vazio que criamos dentro de nós é como uma panela de pressão prestes a estourar. Na verdade, muitas vezes explode. Um verdadeiro flagelo de doenças nervosas desceu sobre nós como um cobertor úmido e frio. As pílulas que nos dão para combatê-las, a longo prazo, nos desequilibram, nos apodrecem e aceleram nossa degeneração física e mental.

Certamente sentimos que estamos perdendo algo. A cultura, o desenvolvimento de uma das duas dimensões da nossa existência, a mais importante e decisiva. Assim como quando somos deficientes em uma vitamina, o corpo exige isso de nós, levando-nos a consumir certos alimentos, assim a mente exige de nós peremptoriamente, às vezes com avisos sérios e contundentes, o que lhe pertence. "Dai a Deus o que é de Deus, e a César o que é de César." Nossos corpos definham à vista de todos por falta do remédio de Deus e nós lhe damos Valium e Xanac.

II. HERMETISMO.

O hermetismo é uma coleção de escritos atribuídos a Thoth, um sábio egípcio antigo cujo conhecimento, ao longo do tempo e entrada na tradição, fez dele um deus, adorado no Egito desde pelo menos 3000 a.C. como o deus da sabedoria, escrita, música, encantamentos, domínio dos sonhos, tempo, feitiços e como símbolo da Lua na mitologia egípcia antiga. Ele também é creditado com a invenção da escrita hieroglífica. Sua figura, representada como um escriba com cabeça de íbis, pode ser vista em muitos túmulos e templos. Outra de suas habilidades é a de mensageiro dos deuses e cronista dos acontecimentos humanos, de modo que, na Grande Corte do Juízo Final, ele determinará se o falecido adquiriu o conhecimento e a pureza necessários para ocupar um lugar no Empiriano. Por essa razão, os gregos o identificaram com seu próprio deus Hermes. Embora alguns sentissem a necessidade de distinguir entre os dois, o egípcio recebeu o nome de Trismegisto, o três vezes grande.

Os escritos do chamado "*corpus hermeticum*" tiveram grande influência no pensamento grego e, através de sua redescoberta em Florença, no século XV, inspiraram o Renascimento.

Seu conteúdo está imbuído da antiga filosofia dos egípcios; no entanto, eles não são escritos em hieróglifos, mas em grego, latim e copta, como eles foram coletados na Alexandria helenística, uma cidade cosmopolita onde gregos, judeus, egípcios, babilônios, fenícios e até budistas da Índia viviam juntos. Não se deve esquecer que Alexandre, o Grande, com suas conquistas, uniu o Oriente ao Ocidente.

Se fôssemos resumir a ideia central do Hermético, diríamos que Deus, a quem eles chamam de Atum, é um Grande Espírito. Tudo o que existe é um pensamento do Grande Espírito de Deus. Hermes afirma que o espírito do ser humano é feito à imagem e semelhança do de Deus. Se fôssemos capazes de libertar nossas mentes das limitações de nossos corpos, seríamos capazes de experimentar o Espírito de Deus.

Na verdade, fomos criados expressamente para esse propósito, para expandir nossa consciência. O ser humano é uma maravilha, argumenta Hermes; através de sua mente, ele vem não apenas a conhecer o universo, mas também a conhecer a Deus, já que o primeiro é um reflexo do segundo.

Não é um mero corpo mortal, mas uma alma imortal que, através da experiência e do renascimento espiritual, pode se tornar um deus. É por isso que Atum disse a Hermes: "Faça suas perguntas conscientemente e elas serão respondidas". Em outras palavras, a resposta virá de dentro. E continua: "Eu sou a Luz, o Espírito de Deus, que existe diante das águas escuras e caóticas da potencialidade. Minha Palavra consoladora é o Filho de Deus, a ideia de uma ordem maravilhosa, a harmonia de todas as coisas com todas as coisas. O Primeiro Espírito está relacionado com a Palavra (a Palavra, o Logos), assim como, em sua experiência humana, seu espírito gera a Palavra. Eles não podem ser separados uns dos outros, pois a vida é a união do Espírito e do Verbo. Agora fixe sua atenção na Luz e torne-se Um com ela. »

Isso só pode nos lembrar, e até constituir uma exegese inesperada, das primeiras palavras do Evangelho de João: "No princípio era o Verbo, e o Verbo estava com Deus, e o Verbo era Deus. Foi no princípio com Deus. Todas as coisas foram feitas por Ele; e sem Ele, nada do que é feito foi feito. Nele estava a vida, e a vida era a luz dos homens".

A Palavra, o Logos grego, o Verbo, é válido para a palavra falada e a palavra de pensamento. O pensamento humano, reflexo do pensamento divino, talvez seja algo mais sério do que pensamos. É por isso que alguns dizem que temos que ter cuidado com o que desejamos, porque ele pode ser alcançado e podemos ser responsáveis por isso. A filosofia de Schopenhauer, expressa em sua obra seminal, *"O mundo como vontade e representação"*, parece apontar nessa direção.

Deus é Unidade. Tudo o que existe faz parte do Ser Supremo. Ele é o Criador de todas as coisas que se criou. Tudo o que existe é uma ideia do Espírito de Deus. E ele faz isso o tempo todo, porque pensa o tempo todo. Deus está constantemente criando a Criação e nunca vai parar. Deus é tudo, os objetos materiais ao nosso redor e os pensamentos imateriais de nossas mentes. Ele é a Realidade Suprema e Absoluta. Seu Eu só pode ser conhecido através do pensamento. É a unidade de todas as coisas, e devemos conhecê-la por todos os nomes e chamar todas as coisas de Atum.

O homem, criado à imagem de Deus, é um microcosmo, que vive cercado pelo seu próprio universo, que cria constantemente através da sua palavra e do seu pensamento. Daí a necessidade absoluta de alcançar o perfeito autocontrole.

O Cosmos é uma obra de arte gigantesca, imbuída de mistérios profundos e assinada por um mestre desconhecido. "Ele criou todas as coisas para que através delas pudéssemos vê-Lo." Só porque Sua Criação é visível, Ele é visível, e esse é o propósito de Sua Criação.

A ordem deve ser criada. Só o que está fora de proporção é acidental. Enquanto o Cosmos é ordem, onde a desordem é excluída. Com o que parece fortuito, é que não sabemos a extensão e o propósito disso. Acontece com isso, como acontece com os meteoritos, que não sabemos sua órbita. Estamos apenas contemplando suas aparições periódicas.

Luz e Vida, que constituem a Unidade de Deus e constituem o Espírito do Cosmos. É a Palavra que acalma as águas escuras, ou seja, as leis fundamentais da natureza que trazem ordem ao caos. A Palavra (o Logos), o Espírito do Cosmos, é um reflexo de Deus.

Atum é a fonte de energia que, pelas leis da natureza, cria vida. O Espírito do Cosmos recebe assim a energia de Deus e a transmite a todas as coisas que o compõem. O espírito do homem, por sua vez, recebe-o do Cosmos. Durante esse processo, o Cosmos está completamente saturado de Alma, a Força Vital. Tudo está vivo, nada está morto. Nem mesmo as chamadas coisas inanimadas. O Cosmos é uma imensa criatura viva que dá vida a tudo o que contém, é o todo que nutre as partes.

A mente e a alma são entidades distintas, a primeira é a manifestação da Luz, é o Espírito; a segunda é a manifestação da Vida. "Tudo é movido pelo poder da Alma. O corpo do Cosmos, no qual todos os outros corpos estão contidos, está completamente saturado de Alma. A Alma é completamente iluminada pela Mente. E o Espírito penetrou plenamente por Atum. A Alma envolve todo o corpo do Cosmos.

A Alma e o Espírito do Cosmos estão em toda parte, quando falamos com Ele, Ele nos ouve. Nossas palavras e ações estão impressas Nele.

Tudo no Cosmos é mudança constante. A mudança é regida por leis naturais, que são imutáveis e permanentes. É por isso que podemos dizer que o Cosmos é mutável e ao mesmo tempo permanente. O tempo regula o processo de mudança e é medido pelas revoluções de estrelas, planetas e do Sol, que se movem em órbitas fixas. Hermès vê o tempo como um círculo. Em um círculo não há começo nem fim, pois cada ponto dele é ao mesmo tempo começo e fim. Uma volta completa gera uma próxima volta e assim por diante. O movimento da linha é o avanço contínuo, o do círculo é o do eterno retorno.

No entanto, a Hermès nos oferece uma visão ainda mais profunda do tempo. O Cosmos, com tudo o que contém, é uma ideia de Deus, um pensamento. E, como pensamento, não tem existência física. O passado desapareceu e, portanto, não existe mais. O futuro é uma potencialidade, mas ainda não existe. O momento presente passa tão rápido que não tem permanência. Assim que dizemos a palavra "agora", já é uma contradição. "Como podemos dizer que ela existe se ela não pode ficar por um único momento?" A natureza do tempo é ilusória, é "maia" como diriam os budistas. Para Deus, não há passado, nem presente, nem futuro, apenas eternidade. Libertando-nos da ilusão do tempo, podemos ter um vislumbre de Deus.

Para os antigos egípcios, a noite, com seu manto coberto de estrelas, adquire a dimensão de uma deusa a quem chamam de Destino e cujas leis imutáveis estão inscritas no campo das constelações, onde os planetas têm suas órbitas. Hermes chama esses poderes, especialmente os planetas, de deuses. Juntos, eles derramam um fluxo ininterrupto de força vital e significado em toda forma de matéria, causando uma mudança constante dela, cujos marcos mais marcantes são o nascimento e a morte. "A matéria é como um útero fértil no qual todas as coisas são concebidas."

"Rá, o sol, une o céu e a terra, trazendo energia de cima e levantando matéria de baixo. Ao contrário de Atum, a Luz oculta, que só pode ser vista com pensamento, através da contemplação intensa, Rá existe no espaço e no tempo. Seu corpo material é a fonte de luz visível que contém a substância da luz invisível. O sol espalha continuamente Luz e Vida. Assim como Ra nutre a vegetação, Atum nutre as almas com sua sabedoria.

O Criador ordenou que cada um dos deuses planetários compartilhasse com a humanidade uma parte de seus poderes. De fato, o hermetismo ensina que o universo não estará completo até que a humanidade desempenhe seu papel nele. As artes e as ciências devem complementar o que a natureza não pode fazer e, portanto, o ser humano deve contribuir para realçar a beleza do Cosmos.

Portanto, as artes e as ciências não devem estar nas mãos dos mercadores que invadem o Templo, porque no dia em que menos se espera, o Filho do Homem virá, e sem deixar de ser o Cordeiro, ou precisamente porque ele é, ele se apoderará do flagelo e os expulsará violentamente: "Não está escrito: 'Minha casa será chamada de casa de oração para todas as nações?' Mas você fez disso um covil de ladrões."

É com esse propósito, o de aumentar a beleza do Cosmos, que Deus concebeu o homem como uma verdadeira maravilha. Todos os animais contêm uma Alma, a Força Vital que os anima. Mas só o homem possui, além disso, o poder do Espírito, com o qual pode contemplar o Cosmos e, através dele, Deus. O espírito humano é a imagem do Espírito de

Deus, por isso é imortal, divino e livre. O corpo será mortal e controlado pelas leis do Destino, mas seu espírito é eterno.

Só morre o consumível, o mutável, o intercambiável; o essencial permanece. Quando compramos um casaco, preferimos que seja o melhor, porque é uma peça que é para durar. No entanto, com o passar dos anos, ele cai, deforma, arranha. Dói-nos separarmo-nos dele. Enfim, porém, devemos fazê-lo e substituí-lo por outro, porque ainda estamos vivos e precisamos nos cobrir. O que colocamos no poço é o casaco. Seria tolice pensar que nos colocamos lá.

Quando um belo dia uma televisão nos diz que acabou e nos mostra uma tela preta, que a eletricidade não penetra mais nela, ou que ela não tem mais efeito, não temos escolha a não ser nos livrar dela. Agora, em seu lugar, vamos colocar outro, conectá-lo, conectá-lo e continuar assistindo aos mesmos programas do antigo. Para quê? Porque é o sinal que conta. A televisão é perecível, o sinal estará sempre lá, embora sem televisão não conseguiríamos vê-lo.

Hermes pergunta: algo transitório como nossa existência terrena pode ser considerado algo diferente de uma ilusão? A descoberta do permanente no efêmero é a recompensa da busca espiritual. O velho deve desaparecer para que o novo exista. O nascimento de um ser humano não é o início de uma alma, mas apenas a encarnação de uma pessoa particular e a transformação dessa alma em um estado diferente. A morte nada mais é do que o abandono de um corpo desgastado. Muitas pessoas desconhecem isso e temem a morte desnecessariamente.

Pois o que é o novo e o que é o velho, quando a substância de tudo é eterna?

Depois de deixar para trás o corpo inútil, a alma individual é julgada pelo chefe dos deuses, para ver se é pura e honrosa. Neste caso, eles finalmente passam, após uma longa série de encarnações e aprendizados, para o reino dos céus. Uma alma que durante sua vida terrena alcançou o conhecimento de Deus se tornará, se fundirá em toda a Mente. Então você tomará um corpo de Luz e estará livre de todas as limitações. "Quando deixardes o vosso corpo, o Espírito e a Palavra serão os vossos guias, conduzindo-vos à companhia dos deuses e de outras almas que alcançaram a Glória Suprema." Ele percorreu o caminho da pureza e agora é completamente espiritual e divino.

Note-se que nesta doutrina não há ameaça de inferno, com os caldeirões de Pedro Botero cheios de breu flamejante. Seja como for, o inferno é aquele mundo caracterizado por uma dura necessidade, embora seja também a única maneira de cauterizar nossa alma e purificá-la com o fogo do sofrimento. Este é o preço a pagar para merecer o Céu, a experiência que este submundo concede. Mas tudo isso é uma ilusão, Maya. É como um sonho que vivemos intensamente, embora quando acordamos, ele desapareça. O verdadeiro conhecimento foi consumado e a alma venceu: "todos os deuses dançam e cantam hinos para celebrar a gloriosa vitória do espírito".

O homem deve conhecer a si mesmo e ao Cosmos. Ciente de que ele é uma imagem do Cosmos e de Atum, ele será capaz de vislumbrar seu Deus. Seu papel na Criação não é diferente. É uma maneira de Deus vir a conhecer a Si mesmo. "O homem é tudo o que é. Está em tudo. Porque o homem é o espírito".

Tanto que, conta Hermes, os deuses do céu reclamaram com Atum, argumentando que os poderes dos homens eram muito altos e, portanto, perigosos para si mesmos e para a ordem do Cosmos.

Deus reconheceu a validade do argumento e criou o Zodíaco, um mecanismo celestial cuja missão é controlar o destino dos homens, e o colocou a cargo da deusa Destino, que semeia o destino de toda criança recém-nascida, que crescerá dentro dos limites da Necessidade, a Ἀνάγκη da qual Victor Hugo fala no prólogo de "Notre-Dame de Paris" e que engloba as demandas de nossa física da natureza.

Pouquíssimos escapam da influência do destino estabelecido pelo Zodíaco, apenas aqueles que são iluminados pela Luz de Deus. Hermes ensina que é nosso dever elevar-nos acima de nossa natureza mortal através da contemplação intensa de Deus e, assim, despertar nossa Alma imortal.

Infelizmente, nos apegamos tanto aos nossos prazeres terrenos transitórios que perdemos a consciência de nossa alma eterna. O corpo deve ser escravo da alma e não a alma do corpo. Hermes nos exorta a nos libertarmos de nossa escravidão, desenvolvermos nossa visão interior e usarmos o poder de nossas mentes para experimentar o Espírito de Deus. Só como sabe gostar. Para isso, Hermes nos aconselha a imaginar que estamos em todos os lugares e em todos os momentos, a integrar todos os opostos, a saber que somos imortais, a nos ver tanto no ventre de nossa mãe quanto dentro do caixão. Expandindo nossa consciência dessa maneira, podemos emergir no Espírito de Deus. "Pela vontade de Atum, o espírito é um prêmio que a alma pode ganhar."

O homem tem o poder de subir ao céu e, no entanto, rasteja no pó. Ele tem o poder de conhecer a Deus, mas não o usa. Só de querer fazer isso nos coloca no caminho certo. Quando menos esperamos, percebemos que Deus está dentro de nós. Um dos nomes da divindade é Emmanuel, que significa "Deus conosco". O ápice da jornada espiritual é a percepção de que ela está em toda parte e em todas as coisas. "Isso porque Atum é tudo", conclui Hermès. "Vamos adorar a Deus com profunda gratidão, pois palavras não são orações até que Ele as aceite." "Serei outra coisa que não você?" "Encontrei a fonte do poder de todos os poderes, aquele que não tem começo."

III. MISTICISMO CRISTÃO.

Pelo conceito de "caminho espiritual" estamos nos referindo basicamente às duas disciplinas clássicas do "caminho da perfeição", o ascetismo e o misticismo. A primeira busca o autocontrole e a purificação moral através do exercício da mente, que pode ser positiva (prática das virtudes) e negativa (romper com tudo o que implica desordem ética). A segunda, segundo os estudos modernos de O. Schneider ou M. Knowles, poderia ser definida como a experiência direta da essência divina pelo homem, que a recebe passivamente, com o possível acompanhamento de carismas (visões, êxtases, revelações). O ascetismo e o misticismo nada mais são do que o "itinerarium mentis ad Deum", tradicionalmente estruturado em três estágios – purgativo, iluminador e unitário – correspondendo a tantos estados de oração – recolhimento, quietude e união. -

A palavra místico vem do verbo grego "myein", que significa encerrar. "Místikos" será, portanto, o fechado ou escondido da vista direta, o misterioso. No entanto, para o cristianismo, o ocultismo está à vista de todos, como de fato foi o caso de *"A Carta Roubada", de Edgar Allan Poe, que* era exatamente onde deveria estar, embora qualquer investigação começasse com o fato de que um documento de tamanha importância tinha que ser encontrado em um lugar longe da casa, no esconderijo tecnicamente perfeito. É por isso que ninguém foi capaz de encontrá-lo, nem mesmo o mais especialista. O oculto está diante de nossos olhos e só precisamos ter a vontade de acessá-lo para encontrá-lo em tudo o que existe. A hermética, como vimos, já apoiava essa ideia.

O cristianismo apresenta o caminho místico dividindo-o em três segmentos que se desenvolvem simultaneamente: práxis, contemplatio naturalis e theosis.

O primeiro passo é o trabalho de controlar o corpo, as emoções e o intelecto. É o desenvolvimento da temperança e da humildade como virtudes essenciais. Nesta fase, a graça de Deus está entrelaçada com a nossa vontade numa obra diária de ascetismo e virtude.

A segunda é a da contemplação e compreensão da revelação de Deus, tanto natural quanto sobrenatural. Os dois se complementam e dão coerência um ao outro. Neste ponto, temos de apelar à nossa vontade. Mas de pouco adianta a vontade se Deus não nos der a graça de seguir em frente. É o que os teólogos chamam de "gratia gratis data", condição "sine qua non" para o progresso no caminho espiritual.

Por fim, temos a teose ou "divinização". Não se trata de fazer deuses para si mesmo, mas apenas de se tornar um instrumento de Deus que age dentro da comunidade de crentes que é a Igreja. Nisso, há uma diferença com os misticismos não cristãos que tendem a se concentrar no indivíduo através da práxis solitária. Este seria o caso dos pais de eremo, que viviam isolados do mundo, por si e para si. O misticismo cristão é centrado em Deus, desenvolve-se em comunidade e olha para o mundo para transformá-lo. A ação é igualmente mística, mas acontece dentro da sociedade. Os grandes místicos cristãos uniram a práxis, a contemplatio e a theosis, concentrando sua ação no mundo, através e na Igreja.

São João da Cruz apresentou estes três caminhos da seguinte forma:

O caminho purgativo consiste na purgação da memória, entendida como o poder da alma, para purificá-la dos apego sensível que vêm do corpo.

O caminho da iluminação consiste na elevação do intelecto a Deus, entendido como o poder da alma. Uma vez purificada a mente de toda relação com as criaturas, ela é vazia para se render à sabedoria sombria ou sabedoria secreta que é conhecida sem a necessidade de entender, uma experiência que no misticismo é chamada de Fé.

O caminho unitário consiste na purificação da vontade, entendida como o poder da alma. É nela que a alma alcança o grau mais perfeito de união com Deus, uma vez que esvaziou sua própria vontade, que é mais própria e íntima, de entregá-la a Deus. Este é o grau mais perfeito de caridade.

Essa teoria do misticismo repousa sobre os três poderes da alma: memória, compreensão e vontade. São Boaventura, em *"A Viagem* do Espírito a Deus", considera a memória como a faculdade à imagem do Pai, o intelecto como a faculdade à imagem do Filho e a vontade como a faculdade à imagem do Espírito Santo. Um esforço para encontrar uma trindade no homem em correlação com a Trindade de Deus que já havíamos notado também no Hermético.

A dimensão mística paira claramente na vida de Jesus e afirma-se claramente nos Evangelhos, mas é sobretudo no quarto Evangelho, o de São João, escrito no final do século I, que encontra a sua plena expressão. Neste Evangelho as duas principais correntes do misticismo cristão encontram sua fonte: 1) na teologia da imagem divina, que chama o cristão à conformidade (com Cristo, adorado como Deus e, por meio dele, com Deus) e 2) na teologia que apresenta a intimidade com Deus como relacionada ao amor em termos universais.

As cartas de São Paulo desenvolvem a ideia de vida no Espírito (2 Cor 3, 18). O principal dom do Espírito, segundo o apóstolo dos gentios, consiste na "gnose", aquele tipo de penetração no mistério de Cristo que permite ao crente compreender as Escrituras em um sentido mais profundo e "revelado".

Orígenes estabeleceu pela primeira vez no mundo cristão a ideia de que a alma é uma imagem de Deus, porque reflete a imagem primordial de Deus, que é o Verbo divino. Deste modo, o Verbo é imagem do Pai e, ao mesmo tempo, é também imagem do Filho, "Filho do homem", da alma humana. O Verbo era Deus, dizia-nos São João. E Deus é tudo.

A palavra, claro, no sentido de Logos, que vale tanto para palavras quanto para pensamentos, que, aliás, só podemos expressar em palavras. Diante disso, também, temos essa sensação de "déjà vu".

Gregório de Nissa apresenta uma trajetória derivada de Orígenes, descrevendo a vida mística como um processo de gnose iniciado por um

Eros divino, que se manifesta no desejo natural da alma por Deus, cuja imagem tem a intuição. Em outras palavras, criamos as condições certas e a flor dentro de nós florescerá naturalmente.

A ascensão mística da alma é um processo lento e doloroso que termina em um conhecimento obscuro – a noite mística do amor. Diz-se que essa teologia das trevas, ou "teologia negativa", foi desenvolvida até seus limites extremos por um misterioso sírio que escreveu em grego no século VI e que se apresentou como Dionísio. Essa teologia negativa, também chamada de teologia apofática (do grego ἀποφάσκω que significa "dizer não", "negar"), é um caminho teológico que se desvia de qualquer conhecimento positivo da natureza ou essência de Deus.

Segundo ela, só é possível ao intelecto humano apreender o que Deus não é, enquanto a compreensão real da divindade é impossível, mesmo que de forma fragmentária, porque transcende a realidade física e as capacidades cognitivas humanas.

Para este caminho, Deus é incognoscível e incompreensível; O que conhecemos e entendemos nunca é o divino, mas uma entidade finita. Donde se segue que só podemos dizer de Deus o que Ele não é, que Ele não é nem um gênero nem uma espécie, e que Ele está além de tudo o que podemos conhecer e conceber.

Portanto, a abordagem mais apropriada para conhecer a Deus é aquela que se espera do silêncio, da contemplação e da adoração do mistério, e independe de qualquer processo de investigação racional e especulação do divino. Nas palavras de Dionísio, quando a mente despojou sua ideia de Deus através dos modos humanos de pensar, ela entra na "escuridão do não saber", na qual "renuncia a toda apreensão do entendimento e abandona-se àquilo que é inteiramente intangível e invisível... unidos Àquele que é totalmente incognoscível. (*Teologia Mística,* 1).

Esses conceitos não podem deixar de nos lembrar de uma das mais antigas e importantes obras do misticismo, desta vez oriental, o *Tao te Ching*, que pode ser traduzido como *"O Livro do Caminho e sua Virtude"*:

Do não-ser, entendemos sua essência; e de ser, vemos apenas sua aparência.

As duas coisas, ser e não ser, têm a mesma origem, embora nomes diferentes.

Sua identidade é um mistério.

E neste mistério

A porta para todas as maravilhas é encontrada.

Evágrio, por outro lado, busca a vida monástica na forma de uma aproximação ao deserto. Ele progride até estar em completa solidão, inteiramente dedicado à contemplação. Para Evágrio, a ascensão espiritual consiste em contemplar Deus em si mesmo, para que se veja Deus como num espelho. O caminho é desapegar-se dos pensamentos apaixonados; depois, de meros pensamentos, até chegarmos ao completo despojamento de imagens e conceitos.

O Tao está vazio, impossível de preencher.

E, portanto, inesgotável em sua ação. É na sua profundidade que reside a origem de todas as coisas.

Parece haver um patrimônio universal, um fundo comum para toda a humanidade, que gira em torno dos conceitos básicos que cercam a noção de divindade e sua relação com o homem.

No século IV, Santo Agostinho abriu uma nova etapa decisiva no misticismo cristão. Ele primeiro descreveu a imagem divina em termos psicológicos, usando os conceitos dos três poderes da alma – memória, inteligência e vontade – para explicar sua percepção da experiência de Deus. Que habita na alma como origem e como objetivo supremo. A presença de Deus neste reino interior convida a alma a voltar-se para dentro e transformar a semelhança estática em uma união estática... A alma, então, será gradualmente unida a Deus.

Ainda hoje, Agostinho é considerado o pai do misticismo contemplativo que se eleva a ponto de mergulhar na verdade de Deus e ao mesmo tempo se entrega no coração.

Chegamos ao século XII, em que aparece a figura de Bernardo de Claraval, monge da ordem cisterciense – um novo ramo da antiga ordem de São Bento. Para Bernardo, a aquisição dos elementos da doutrina cristã não deve ser feita racionalmente, por meio do método dialético, mas por meio de uma experiência imediata com Deus, ou seja, através de uma experiência mística. O método de Bernardo não foi desenvolvido em tratados, mas através de sermões. É uma mística do amor, que tem no *Cântico dos Cânticos* a fonte inesgotável que irriga a sua teologia, e que se conjuga com a linguagem poética em que formula o seu pensamento. A experiência mística para Bernardo de Claraval é, portanto, a união do amor entre a alma e Deus.

"Me coloque como um selo em seu coração, como um selo em seu braço, pois o amor é tão forte quanto a morte, o desejo de ser objeto de uma união exclusiva é tão inflexível quanto o Seol. Suas chamas são chamas de fogo, a chama de Jah. (*Cântico dos Cânticos de Salomão*, cap. 8, versículo 6)

Uma ideia, como veremos, fértil no misticismo cristão.

Meister Eckhart – um místico ousado, colocado como suspeito pela hierarquia eclesiástica, sua principal obra são os *"Sermões"* – afirma que Deus está sendo, e que, a rigor, só Deus é. Para Eckhart, a criatura não existe. Assim, Deus é totalmente imanente à criatura como sua própria essência, ao mesmo tempo em que a transcende totalmente como um ser único. Somente a expressão ilimitada de Deus em Sua Palavra eterna (o Filho) é Sua imagem perfeita. A mente atualiza plenamente essa imanência. Mais do que presença, Eckhart fala de identidade. O ser da alma é gerado num eterno agora com o Verbo divino. A alma espiritual não prepara um "lugar" para Deus, pois "o próprio Deus é o lugar onde Ele trabalha".

O trabalho do homem é livrar-se de si mesmo, o que é basicamente uma ilusão, "maya" como diria um budista, para isso ele deve despojar-se de sua vontade e colocar-se nas mãos de Deus: "perinde ad cadaver": onde o homem, em obediência, deixa seu ego e se livra do que lhe pertence, é precisamente lá que Deus, por sua vez, deve entrar à força; pois quando um homem não quer nada para si, Deus deve querer em seu lugar.

Um de seus discípulos mais ilustres foi Johannes Tauler. Durante sua juventude como monge dominicano, Tauler esteve em contato próximo com Meister Eckhart, que foi intensamente ativo em Estrasburgo entre 1313 e 1326. A teologia mística de Tauler é sustentada pelo misticismo eckhartiano, centrado na noção de grunhido, a fusão do humano em Deus. No entanto, ele difere dele em explorações filosófico-teológicas de assuntos como a natureza divina. E conserva uma certa originalidade em relação ao misticismo eckhartiano ao enraizá-lo na vida da Igreja, especialmente em sua dinâmica sacramental. Ela entendia seguir a Cristo como o processo que engloba uma experiência mística de entrega a Deus que, embora estranha a Eckhart, pode ser encontrada em outros místicos medievais, especialmente nas mulheres.

Thomas de Kempis nasceu na cidade de Kempen, a noroeste de Colónia, Alemanha, em 1380 e morreu em Zwolle, a nordeste de Amesterdão, em 1471. Filho de artesãos, seu sobrenome paterno era Hemerken ou Hämmerlein, que significa "martelinho" em inglês. Seu irmão mais velho, Johannes, foi enviado por seus pais para estudar na cidade holandesa de Deventer quando ele tinha doze anos. Em 1395, foi a vez dele. Foi então que ele descobriu que seu irmão mais velho havia entrado na ordem monástica dos agostinianos. Iniciou seus estudos aos 13 anos em um centro administrado por uma associação conhecida *como "Irmãos da Vida Comum"*, que praticava o que é conhecido como "devoção moderna". A convivência com esta associação levou Tomás a seguir os passos do irmão Johannes rumo à vida religiosa e por isso pediu para entrar no convento agostiniano de Monte de Santa Inés, perto de Zwolle. Neste lugar, seu irmão já estava antes.

Apesar de ter sido bem recebido pela comunidade, não lhe foi permitido viajar para Monte de Santa Inés como esperava, mas foi-lhe pedido que ficasse mais tempo em Deventer para completar os seus estudos. Deventer era naquela época o mais importante centro de espiritualidade na Holanda, o epicentro do renascimento do fervor cristão na Holanda no século XIV. Tomás lá permaneceu por sete anos, período em que completou seus estudos em humanidades.

Thomas de Kempis pertencia à escola mística que se espalhou especialmente no norte da Europa, da Suíça à Holanda. Foi discípulo de Geert Groote e Florentius Radewijns, fundadores dos "*Irmãos da Vida Comum*". Seus escritos são de natureza devocional e incluem meditações, cartas, sermões, bem como uma *Vida de Santa Ludvina* como exemplo de virtude na adversidade.

Sua principal obra, "*A Imitação de Cristo*", é provavelmente o livro católico mais publicado depois da Bíblia. Foi escrito ao longo da sua vida, e é bem possível que tenha sido o material com que o autor ensinou aos seus jovens alunos no Monte Santa Inés. O livro está dividido em quatro livros:

- Livro I: Conselhos Úteis para a Vida Espiritual.
- Livro II: Exortações para Viver a Vida Interior.
- Livro III: Da Consolação Interior.
- Livro IV: Do Sacramento do Altar.

Quanto a Evágrio, a ascensão espiritual para Kempis consiste em contemplar Deus em si mesmo e ver-se n'Ele como num espelho: "Quem quiser compreender e saborear plenamente as palavras de Cristo deve procurar conformar toda a sua vida a Ele".

Quanto a Bernardo de Claraval, a aquisição dos elementos da doutrina cristã não deveria ser feita racionalmente, por meio do método dialético, mas através de uma experiência imediata com Deus. Assim, Tomás de Kempis nos diz: "De que adianta disputar as coisas altas da

Trindade, se vos falta humildade, pela qual desagradais à Trindade? A propósito, as palavras que surgem não o tornam santo ou justo; mas uma vida virtuosa torna o homem agradável a Deus. Estou mais interessado em sentir contrição do que em saber defini-la. Se vocês conhecessem toda a Bíblia ao pé da letra e as palavras de todos os filósofos, o que seria útil para todos vocês sem a caridade e a graça de Deus? »

"Procurai, pois, desviar o vosso coração do visível para o invisível, pois aqueles que seguem a sua sensualidade contaminam as suas consciências e perdem a graça de Deus."

Nossa mente deve estar em harmonia com a sinfonia universal do Cosmos, composta pelo misterioso Mestre oculto, se nosso instrumento não estiver em sintonia com ele, o "gratia gratis data" não descerá sobre nós.

O verdadeiro conhecimento é a humildade, porque sem ele estaremos enganados sobre a Obra de Deus, da qual não conhecemos nem os detalhes nem o significado último: "O verdadeiro conhecimento é o autodesprezo, que é uma lição muito alta e aprendida. Grande sabedoria e perfeição são sempre sentir coisas boas e grandes nos outros e julgar-se como menos do que nada. Se você vê alguém pecando publicamente ou cometendo pecados graves, você não deve se julgar melhor, pois você não sabe por quanto tempo será capaz de perseverar no bem.

Deus faz ressoar em nós a Sua Palavra, para que nela nos fundemos: "Aquele a quem a Palavra eterna fala livra-se de muitas opiniões. É desta Palavra que todas as coisas procedem, e todas pregam o Uno, e é o princípio que nos fala.

Na Espanha, a literatura pertencente tanto ao ascetismo quanto ao misticismo já era cultivada prolificamente na Idade Média (Santo Ildefonso, Ramon Llull, etc.), mas atingiu um pico singular na Idade de Ouro. Isso não teria sido possível sem a presença na Península Ibérica de uma poderosa tradição mística muçulmana nos séculos anteriores, como veremos no próximo capítulo.

As principais características do misticismo espanhol são o sincretismo ideológico - com forte predominância do neoplatonismo agostiniano -, a maturidade doutrinária, a popularização, a riqueza e sugestão de imagens, a capacidade de introspecção, a apreciação do ascetismo, as raízes na Europa medieval, o realismo e o alto valor literário.

Tais pressupostos deram origem a quatro tipos de misticismo: "afetivista" (franciscanos), "intelectualista" (dominicanos e jesuítas), "eclético" (carmelitas e agostinianos) e "heterodoxo" (influenciado por protestantes, quietistas, panteístas e iluministas). Os autores fundamentais seriam os franciscanos Francisco de Osuna, Bernardino de Laredo, Pedro de Alcántara, Juan de los Ángeles e Diego de Estella; o dominicano Luis de Granada; o fundador dos jesuítas, Inácio de Loyola; os agostinianos Alonso de Orozco, Luis de León e Pedro Malón de Chaide; as carmelitas Teresa de Ávila, João de Ávila e São João da Cruz. O misticismo heterodoxo oferece figuras como Juan de Valdés, na corrente protestante, Miguel Servetus, no panteísmo, e Miguel de Molinos, no iluminismo quietista.

Santa Teresa de Jesus (1515-1582). Nasceu em Ávila, na mansão de Don Alonso Sánchez de Cepeda e Dona Beatriz Dávila de Ahumada. Havia 10 irmãos e 2 meio-irmãos de Teresa, já que seu pai tinha dois filhos de um casamento anterior. Desde cedo, ela se interessou pela vida dos santos e pelos atos de cavalaria. Aos 6 anos, chegou a iniciar uma fuga com o irmão Rodrigo para se tornar mártir na terra dos mouros, mas foi frustrada pelo tio que os descobriu ainda à vista das muralhas. Sua mãe morreu em 1528, quando ela tinha 13 anos de idade, e ela pediu à Virgem para adotá-la como sua filha. Seu irmão Rodrigo partiu para a América, sua irmã María para o casamento, e um de seus amigos entrou em *La Encarnación*. Ele teve longas conversas com ela que a levaram à convicção de sua vocação, e ela entrou nela, com a oposição de seu pai, em 1535.

Dois anos depois, em 1537, ela sofreu uma grave doença, que levou seu pai a tirá-la da *Encarnação* para lhe dar cuidados médicos, mas ela não melhorou e ficou inconsciente por 4 dias, todos a consideraram morta. Ela finalmente se recuperou e foi capaz de retornar a *La Encarnación* dois anos depois, em 1539, embora debilitada pelas consequências, levaria cerca de 3 anos para se defender.

Seu pai morreu em 1544.

A vida conventual era então muito relaxada, com cerca de 200 freiras no mosteiro e grande liberdade para sair e receber visitas. Teresa estava vagamente insatisfeita com essa dieta aberta, mas estava muito confortável em sua grande cela com belas vistas, e com a vida social que lhe permitia fazer passeios e visitas ao salão. Durante a Quaresma de 1554, quando tinha 39 anos e 19 anos era freira, chorou diante de um Cristo ferido, pedindo-lhe forças para não ofendê-lo. A partir desse momento, sua oração mental foi repleta de visões e estados sobrenaturais, embora sempre alternasse com períodos de seca.

Embora tenha recebido muitas visões e altas experiências místicas, foi uma visão muito vívida e terrível do inferno que produziu nela o desejo de querer viver sua devoção religiosa com todo o seu rigor e perfeição, levando à reforma do Carmelo e à primeira fundação.

Esta primeira fundação foi uma aventura burocrática e humana com muitos altos e baixos: seu confessor aprovou um dia e reprovou outro, o Provincial apoiou entusiasticamente e depois se retirou, e o bispo, que nunca duvidara de Santa Teresa, hesitou quando chegou a hora. Muitas vezes parece que tudo vai falhar e Teresa, sempre obediente, retira-se impotente para sua cela, embora Dona Guiomar de Ulloa e o padre Ibáñez finalmente obtenham permissão de Roma.

Fundada em 24 de agosto de 1562, enfrentou feroz hostilidade da Igreja, que viu sua autoridade abalada. Vozes se levantaram pedindo a demolição do novo convento, toda a cidade estava em turbulência e Teresa teve que abandoná-lo, deixando os quatro noviços sozinhos, para voltar para sua cela em *La Encarnación*. Só pôde ser incorporada um ano depois de sua fundação, deixando a grande cela e o conforto de *La Encarnación* para a estreiteza de San José de Ávila, pequena e austera ao extremo.

Durante muito tempo, parecia que a fundação da nova ordem teria apenas este mosteiro, até que Teresa chorou novamente quando soube que as necessidades das missões na América eram grandes. E ouve depois da oração: "... Espere, menina, e você verá grandes coisas. ». Logo depois, recebeu instrução e permissão para fundar outros conventos.

Foi lá que iniciou uma intensa atividade que não terminaria até sua morte, na qual combinou o governo de sua ordem, com a fundação de novos conventos e a escrita de seus livros.

Sua obra literária inclui o "*Livro da Vida*", tanto uma biografia quanto um tratado místico baseado em experiências pessoais, escrito no estilo das *"Confissões de Santo Agostinho"*. Além dessa obra, escreveu o *"Livro das Fundações"*, no qual relatava os dos dezoito conventos reformados. Ambos são complementados pelas "*Relações*", uma comovente descrição das experiências da santa nos caminhos místicos, aspecto em que ela atinge o ápice em "*O Caminho da Perfeição*" e *"Mansões do Castelo Interior"*. Quanto às suas quase quatrocentas cartas, são um prodígio da psicologia, da franqueza, do idealismo, da sugestão expressiva e do bom senso. Ela também escreveu poemas com uma atmosfera conventual caracterizada por sua emoção, popularidade, propósito piedoso e íntima dependência da música, uma vez que foram concebidos como palavras para cantar.

Américo Castro diz-nos: "Santa Teresa rejeita a abstracção, preferindo o amor divino inspirado na humanidade de Cristo, baseado em elementos sensíveis e expresso em símbolos e metáforas que alimentam a fantasia... Em Teresa, a união mística se dá necessariamente em um estado prévio de altruísmo, em um vazio total do espírito, mas em um vazio cego por sua luz, não por suas trevas; e raramente sem o auxílio dos sentidos".

Mas que fale o santo: "Gostaria de poder dar sentido às mínimas coisas que entendi e, pensando no que pode ser, acho impossível; pois não há comparação entre a luz que vemos e a luz nela representada, sendo ambas luzes, não há aproximação, porque o brilho do sol parece ser uma coisa muito detestável. Em uma palavra, a imaginação, por mais sutil que seja, não é suficiente para pintar ou traçar o que será essa luz, ou qualquer outra coisa que o Senhor me deu para entender, com um deleite tão soberano que não pode ser descrito; pois todos os sentidos gozam de um grau e doçura tão elevados, que não pode ser exagerado, e é melhor não dizer mais."

Teresa, uma alma muito feminina, introduziu-se naquela busca frenética pelo absoluto que caracteriza todos os místicos, o tesouro de sua emoção e fantasia.

"Nesta oração de que falo, que chamo quietude, por causa da tranquilidade que faz em todos os poderes..., parece que todo o homem interior e exterior se consola, como se uma doce unção fosse derramada em sua medula; como um bom cheiro; como se estivéssemos entrando em uma parte da cidade, onde havia muito para ele, não de uma coisa, mas de muitas; e não sabemos o que é esse doce amor do nosso Deus: ele entra na alma, e é com grande doçura, e a agrada e satisfaz, e não consegue entender como ou onde entra esse bem: eu não a perderia, não me moveria, nem para falar, nem mesmo para olhar, para que ele não vá embora.

Tal tentativa de descrição direta da experiência de um estado místico íntimo não se encontra diante de Santa Teresa.

O apogeu do misticismo hispânico, no entanto, veio com São João da Cruz (1542-1591). Temos poucas informações sobre sua vida: nasceu em Fontiveros (Ávila), em uma família de descendentes convertidos, professada no Carmelo em 1563. Empreendeu sua reforma em 1567. Sofreu perseguição dos Calzados, o que levou à sua prisão em Toledo, o que não o impediu de se tornar prior em Baeza (1579), Granada (1582) e Segóvia (1588). Em 1591 regressou à Andaluzia, ao convento de La Peñuela, no coração da Serra Morena. Depois de uma breve e dolorosa doença, morreu em Úbeda.

Sua obra literária, que, como a de Santa Teresa, é apenas uma faceta de sua atividade apostólica e reformista, apresenta um duplo aspecto de prosa e verso, que culmina doutrinariamente e esteticamente nos tratados estendidos, onde o comentário é uma extensão do poema, seguindo a tradição da época das glosas morais a vários poemas, como as feitas por Luis de Aranda d'Ubeta para "Coplas", de Jorge Manrique.

Como artista da palavra, São João da Cruz é um exemplo comovente da luta pela expressão do inefável. O verso, concebido como linguagem de amor e sentimento, torna-se a única saída para essa aporia insolúvel. Diante da inadequação da linguagem, viu-se obrigado a recorrer à música do poema. Desse confronto, suas palavras emergem carregadas dos significados mais inesperados, para os quais também contribui o uso da linguagem figurada, da alegoria e do símbolo.

São quatro obras líricas e doutrinárias de São João da Cruz: "*Ascensão do Monte Carmelo*", "*Noite Escura da Alma*", "*Cântico Espiritual*" e "*Chama Viva do Amor*".

Nessas composições, como dissemos, o místico recorre ao poeta para comprimir a linguagem, para submetê-la a uma pressão incomum na época, que só veremos muito mais tarde nos simbolistas e surrealistas. Assim, multiplica oposições e contrastes: "cauterização suave", "ferida delicada", "que fere ternamente", "com uma chama que consome e não dá dor", "matando a morte em vida você a transformou", "que eu morro porque não morro", "vivo sem viver em mim mesmo", etc. Os quadros lógicos colapsam precisamente diante dos estados inefáveis das alturas místicas, e a atribuição destrutiva de opostos ao mesmo sujeito serve como fórmula de aniquilação para a expressão do inefável. E, do ponto de vista lógico, o que Carlos Bousoño chamou de "imagem visionária", também característica da poesia moderna:

"Sou atingido por pedras, rajadas de pedras.
Pedras furiosas me atingiram. Sentir
Descendo a encosta íngreme do difícil cume
Rugido em tudo o que é eterno.

No início da "*Subida do Monte Carmelo*", ele prega a necessidade da cegueira ativa: "o intelecto deve ser cego para todos os caminhos", e passivo, porque aquele que sobe esse caminho "está totalmente nas trevas". Assim, acrescenta, essa sabedoria secreta de Deus é justamente chamada por Dionísio de "raio de trevas". Assim, nosso místico avança à noite até o cume do Monte Carmelo para ver o sol divino brilhando "na esteira do amanhecer". Essa abordagem imprime no discurso poético de San Juan uma gravitação permanente em direção à luz e uma tensão ansiosa por alcançar definitivamente a plenitude do meio-dia, que constitui uma das chaves mais secretas de sua arte literária.

Elaborando sobre o princípio básico da teologia negativa, Dionísio disse em "*A Hierarquia Celestial*" que "as dessemelhanças servem melhor do que as semelhanças para elevar nossas mentes ao reino do espírito". De acordo com isso, cabe à simples seleção de imagens, com respeito à autonomia de cada um, retirar os véus da Divindade até chegarmos, como ele explica em seu tratado de teologia mística, à"quela escuridão superessencial que as luzes das coisas não nos permitem ver" e onde, Consequentemente, as imagens são supérfluas. João da Cruz aplica o princípio da negação de forma muito mais radical às imagens.

O que realmente acontece é que cada imagem perde sua autonomia, e sua substância retorna a outra, que é condicionada por outra, ou, enfim, que passa do contexto de sua articulação lógica para uma posição que, na ordem racional, implica loucura. Meister Eckhart diagnosticara que os dois maiores obstáculos à vida da alma, ao alargamento e à fuga da alma, são o espaço e o tempo. Quando uma alma, tendo desfrutado da teologia mística fora dessas coordenadas de espaço e tempo, tenta reviver a experiência da comunicação linguística, o que ela pode fazer? É exatamente isso que São João da Cruz faz. Assim, através da inibição das funções de cada imagem, do deslocamento geral de seu todo e da superação das leis da coerência lógica, o espaço real é transcendido. Ao mesmo tempo, a oscilação contínua das referências implícitas liberta a imagem resultante de qualquer ancoragem temporal e a projeta em um novo espaço poético, no qual a condensação de substâncias imaginativas luta com o princípio da linearidade do discurso linguístico.

A poesia de São João da Cruz abre-se a uma grande visão da Divindade na sua íntima relação trinitária, com a qual termina a sua última obra: a Declaração do poema *"Chama Viva do Amor":*

"Pois, porque se trata de coisas interiores e espirituais, para as quais a linguagem é ordinariamente carente, é difícil dizer qualquer coisa sobre a substância, porque se fala mal mesmo nas entranhas do espírito, a não ser com uma mente terna...

"Embora nas canções que citamos acima falemos do mais alto grau de perfeição que pode ser alcançado nesta vida, que é a transformação em Deus, essas canções ainda tratam de um amor já mais qualificado e aperfeiçoado nesse mesmo estado de transformação... E é nesse nível de fogo que devemos entender que a alma está falando aqui, já transformada, e qualificada interiormente no fogo do amor, que não só está unido a esse fogo, mas já faz uma chama viva nele. »

Eis o poema a que se refere:

CANÇÕES QUE A ALMA FAZ NA ÍNTIMA UNIÃO DE DEUS

1

Ó chama viva de amor, que fere ternamente a minha alma no fundo de si mesma! porque já não és esquivo, termina agora, se queres; rasga o tecido deste doce encontro.

2

Ó doce cautério, ó deliciosa ferida, ó mão mansa, ó toque delicado, que tem gosto de vida eterna, e paga toda dívida; Ao matar, você trocou a morte pela vida.

3

! Ó lâmpadas de fogo, pelo brilho de que as cavernas profundas dos sentidos, escuras e cegas, batem com um estranho e requintado calor e luz ao lado de seus amados!

4

! Com que gentileza amorosa

Você acorda no meu ventre, onde você habita apenas secretamente, e em sua saudade saborosa de bondade e glória plena, com que delicadeza você me enlouquece de amor!

Jesus tinha prometido no seu Evangelho: «Se alguém me ama, meu Pai o amará, e nós viremos a Ele e faremos dele a nossa casa» (J 14, 23). Esta é a base da imagem difundida da alma como templo de Deus. Aproveitando-se do molde bíblico, São João expressa o conceito nessas "cavernas profundas de significado", que são invadidas pelo fogo unitário do Deus Uno e Trino, que se fragmenta iridescentemente nas quatro dimensões da alma até ultrapassá-la e envolvê-la por todos os lados. É o triunfo da "chama vitoriosa" de que falava Hugo de São Victor. A partir desse momento, essa imagem espontânea – as lâmpadas nas cavernas – é transmutada para aquela literalmente denotada pelos versos: as cavernas profundas de significado foram absorvidas e são encontradas no brilho das lâmpadas. Deus é o templo dentro do qual a alma "se expande, sob o impulso do fogo ardente, para a universalização do ser".

Toda a obra do misticismo está integrada num processo que vai da desintegração à concentração e fusão no Uno. É somente no misticismo cristão que esse trabalho é feito em comunidade, em grupos, esse é o significado da palavra Igreja. Isso certamente tem suas virtudes, mas também seus perigos. O eu social nunca é o mesmo que o eu individual, e o primeiro é capaz tanto do melhor quanto do pior. Entre o melhor que o misticismo cristão deu está o coro monástico que canta o canto gregoriano, dominando as almas com suas notas intermináveis; a perseverante *ora et labora*, em que vidas são canalizadas para um caminho aceitável aos olhos de Deus, caminhou em silêncio e humildade; a esplêndida catedral gótica, um mundo de pedra, descrito e explicado em pedra, onde o rebanho disperso se reúne para contemplar, de joelhos, o *mysterium tremens*. Ou simplesmente a vida simples de um padre operário, trabalhando na fábrica de dia e dando o remédio de Deus à noite aos seus companheiros exaustos e problemáticos. Entre os piores, o fanatismo, a Inquisição, o auto-dafé, os cardeais partidários de Franco que abençoavam os canhões que estavam prestes a esmagar as esperanças de um povo.

IV. MISTICISMO MUÇULMANO.

Falar de misticismo no mundo muçulmano é falar do sufismo e de uma variedade dele que ocorreu no contexto ibérico e norte-africano, a doutrina sadili do "abandono" que mais tarde teve uma influência generalizada sobre os místicos cristãos heterodoxos, os iluminados, os abandonados ou os quietistas.

Examinemos primeiro as linhas gerais do sufismo. Pode ser definido como um conjunto de crenças e rituais de natureza ascética ou mística. Uma forma de espiritualidade chamada *"tasáwwuf"*. Diz-se que o nome sufi está relacionado com a roupa grosseira de lã ou "suf" usada pelos primeiros ascetas e cuja presença data do século IX em Kufa. Um sinal de renúncia a bens materiais que também poderia estar relacionado ao conceito de "safa" ou pureza.

Seu objetivo seria a entrega total do indivíduo a Deus (fanah) através de uma profunda introspecção do conteúdo da mensagem revelada no Alcorão. Nesta relação com Deus, a poesia adquire especial importância como veículo de expressão e louvor. Embora compartilhe com o restante das correntes místicas um ideal de conhecimento e perfeição do indivíduo, o sufismo tem a particularidade de visar reviver a mensagem espiritual de Maomé contida em sua ascensão ao céu (mirach). Esta viagem ascética, este caminho (tariqa) levará a este fim através das mansões (manazil), dos graus (maqanat) e dos estados (ahwal).

O ascetismo sufista ou tariqa tem variantes e regras dependendo do grupo ou irmandade. No entanto, alguns elementos permanecem comuns. Primeiro, a existência de um sistema hierárquico de disciplina e autoridade. As práticas rituais são baseadas no canto oral ou mental de orações ejaculatórias (dikr), repetições do nome de Deus até o êxtase. Por fim, a indiferença e a introspecção como esquecimento de todos os aspectos carnais, que é o que acontece com o adepto durante essas práticas. Doutrinariamente, os sufis compartilham uma fé centrada no poder supremo da providência divina (tawakkul), a assunção total da vontade de Deus e uma metafísica que faz uma distinção clara entre a literalidade da revelação (sharia) e a verdade absoluta da essência divina (haqiqa), à qual os sufis tendem.

A partir do século XII, o sufismo foi organizado em tariqas ou irmandades. Uma estrutura que veio atenuar e conter a influência do sufismo xiita, que defendia a devoção ritual aos santos imãs como um caminho espiritual. Deste sufismo sunita emergiram quatro personalidades unanimemente reconhecidas como seus principais representantes: Ibrahim al-Dasuqi (1235-1288), Ahmad al-Badawi, Abd al-Qadir al-Jilani (m. 1166) e Ahmad al-Rifai (m. 1182).

Desde o século XVI, as tariqas transmitiram uma doutrina e impuseram um comportamento ascético estruturado. Às vezes, eles faziam uso de organizações nas quais diferentes soberanos dependiam. Algo que levou não só à estagnação, mas também a uma institucionalização contrária ao espírito e à prática ritual dos primeiros sufis. Nesse sentido, o papel das irmandades como organizações de controle da espiritualidade tem sido complementado pelo das madrassas no plano jurídico.

Nos séculos 19 e 20, as potências coloniais usaram essas tariqas para controlar e satisfazer a população, assim como a França fez na África com a irmandade Tiyani (Ahmad al-Tiyani m 1815, Senegal). Por outro lado, a resistência à colonização e a consolidação de uma resposta também se materializaram através do chamado à jihad dos grandes xeques sufistas, tanto Qaridis, al-Qadir al-Jilani (m. 1166, Bagdá) quanto Sanusis (Muhammad Ibn Ali al-Sanusi, m. 1859, Cirenaica).

Tanto os representantes sunitas (ulema) quanto os xiitas (mulás) mostraram uma atitude em relação ao sufismo que oscila entre grande reserva e hostilidade aberta. Ainda mais porque lutam com ele pelo monopólio da doutrina islâmica e, sobretudo, pela capacidade de influenciar seus seguidores. A capacidade do sufismo de construir pontes com a religiosidade popular permitiu-lhe não apenas desfrutar do reconhecimento popular, mas também canalizar grandes doações de bens de mãos mortas (habus). Doações inalienáveis para fundações sufistas. Em algumas irmandades, como os Tiyaní, na África Ocidental, essa ascendência popular é verificada por meio de manifestações muito primitivas de sentimento religioso, expressas por amuletos ou orações, que se tornam inseparáveis desse tipo de Islã. Não é à toa que a devoção aos santos sufis se tornou um dos laços mais fortes entre muçulmanos e hindus na Índia hoje.

A influência do sufismo é palpável nas grandes manifestações da vida cultural. Música, dança, arte e sobretudo poesia. Poetas místicos floresceram nas principais línguas islâmicas durante seu período clássico. Em árabe, Muhyi al-Din Ibn al-Arabi (m. 1240). Em persa, Farid al-Din Attar (m.1230) e Hafiz (m.1390). Em turco, Yunus Emre (morto em 1329). Malaio: Hamza Fanrusi (morto em 1600). Em Urdu, Mazhar (morto em 1781).

Durante séculos, mestres sufis de muitas ordens consideraram Abubecok Mohammed Ben Ali, mais conhecido como Abenarabi, como um grande mestre que sabe por "experiência direta (espiritual)", a quem até deram o epíteto de Sheikh al-Akbar, "o maior dos mestres".

Abenarabi nasceu em Múrcia, no dia 17 do Ramadã, no ano 560 da Hegira (28 de julho de 1164), sob o califado de Almostanchid no Oriente, e reinando em Múrcia e Valência Aben Mardanix, um príncipe independente da autoridade dos almóadas, cujo terceiro sultão, Abu Yacub Yusuf, acabara de herdar de seu pai Abdelmumen o império de todo o resto da Espanha.

O próprio Abenarabi confirma isso em uma de suas obras Fotuhat, IV, 264:

"Um vassalo de um grande sultão de Múrcia chamou-o em voz alta para fazer uma reivindicação; mas o sultão não lhe respondeu. O apelante então disse: "Fale comigo, pois Deus também falou com Moisés". Ao que o sultão respondeu: "Você acha que é Moisés?" Mas o interlocutor respondeu: "E você, você pensaria que é Deus?" O sultão então parou seu cavalo para informá-lo do que desejava, e imediatamente respondeu ao seu pedido. Este sultão era o senhor de todo o Al-Andalus oriental, e seu nome era Mohammed b. Saad Aben Mardanix, em cuja época e reinado eu nasci em Múrcia."

Ele pertencia a uma família nobre na qual a religião desempenhou um papel importante. Um de seus tios maternos, Yahya Ben Yogan, deixou o trono da cidade de Tremecen para se submeter à disciplina de um mestre espiritual, um eremita que o obrigou a ganhar a vida coletando lenha nas montanhas e depois vendendo-a nas ruas da capital de seu próprio reino. Outro de seus tios maternos, Moslem el Jaulaní, era tão dedicado a exercícios ascéticos que passava noites inteiras em pé em oração, chicoteando-se para controlar seu sono. Finalmente, o próprio Abenarabi nos diz: "Eu tinha um tio, irmão de meu pai, chamado Abdullah b. Mohammed Abenarabi, que havia atingido esse estado místico, tanto razoável quanto idealmente, como eu mesmo pude observar de maneira palpável, antes de me converter a esse caminho de vida mística, no momento de minha dissipação".

Quando Abenarabi tinha oito anos de idade, Múrcia caiu nas mãos dos almóadas, e sua família decidiu se estabelecer em Sevilha. Lá recebeu uma educação literária e religiosa de grande qualidade e requinte. Lá, a nobreza de sua linhagem e suas excepcionais habilidades pessoais logo lhe permitiram obter o cargo de secretário do governo. O Beni Abdun de Bugia, outra família de alto nascimento, deu-lhe em casamento sua filha Maram, que, por seu exemplo e exortações, conseguiu direcioná-lo para uma vida mais piedosa. Talvez uma doença grave, acompanhada de ataques febris que causaram visões aterrorizantes do inferno, também tenha contribuído. A partir disso, ele conta, foi salvo pelas orações de seu pai, que estava constantemente observando ao lado de sua cama.

Uma vez convertido, dedicou-se ao estudo dos livros sufis e ao tratamento dos mestres espirituais. Musa b. Imran de Martola ensinou-o a receber inspirações divinas. O milagreiro Abulhachach Yusuf, que possuía a virtude de andar sobre as águas, comunicando-se com os espíritos dos mortos. Yusuf el Cumí, Ciência Esotérica. Abubdala b. Almoshahid e Abuabdala b. Caisum apresentou-o à prática do exame de consciência individual e diário.

Quando se sente pronto, isola-se do mundo, recolhendo-se aos cemitérios, onde se dedica à comunicação íntima com as almas dos mortos. Em *Fotuhat,* ele nos diz:

"Eu me retirei do mundo para viver isolado em cemitérios por um tempo. Então me chegou a notícia de que meu professor Yusuf b. Jalai el Cumi disse que fulano (referindo-se a mim) havia desistido do tratamento dos vivos para ir cuidar dos mortos. Então, eu mandei uma mensagem para ele e disse: "Se você viesse me ver, veria com quem estou lidando". Ele fez sua oração no meio da manhã e veio até onde eu estava, mas sozinho, sem ninguém para acompanhá-lo. Perguntou a uns e a outros onde eu estava, até que me viu sentado com a cabeça baixa no meio das sepulturas do cemitério, conversando com um dos espíritos que se apresentaram a mim. Sentou-se ao meu lado, gentilmente e com muito respeito. Olhei para ele e vi que sua cor havia mudado, e sua alma estava tão perturbada que ele nem conseguia levantar a cabeça, oprimido como estava pela prostração. Enquanto isso, eu o olhava com um sorriso, mas sem poder fazê-lo sorrir, ele estava tão triste. Assim que terminei meu misterioso discurso, a ansiedade do mestre diminuiu gradualmente, até que ele se acalmou e, virando o rosto para mim, me beijou na testa. Então, eu disse a ele: "Quem cuida dos mortos, eu ou você? Ele respondeu: "! Não, por Deus, não sou você, mas sim eu que cuido dos mortos. Por Deus, se a cena tivesse se arrastado um pouco mais, eu certamente estaria sufocado de emoção! Então ele se afastou e me deixou lá sozinho. A partir daí, dizia a todo momento: "Quem quiser se isolar do mundo, que se isole como fulano".

Sua fé nos fenômenos sobrenaturais da vida mística se fortaleceu à medida que os experimentava em si mesmo e nos outros. O ano de 1190 testemunhou um milagre de incombustão realizado por um Sufi:

Foi o que nos aconteceu no ano de 586 (Hijra), numa reunião com a presença de um certo indivíduo, um filósofo, que negou a missão divina dos profetas, no sentido em que os muçulmanos afirmam, e também negou a realidade dos milagres dos profetas, como fenômenos que rompem o curso normal da natureza; pois, como ele afirmava, a essência das coisas é inalterável. Era um dia de inverno muito frio, e tínhamos um grande braseiro queimando na nossa frente. O incrédulo disse que o vulgar afirmava que Abraão fora lançado ao fogo e não fora queimado; mas como o fogo é, por sua natureza, o oxidante dos corpos passíveis de serem queimados, ele afirmou que o fogo de que fala o Alcorão na história de Abraão, significa apenas a ira de Ninrode, a ira ardente que ele sentiu contra Abraão; e acrescentou que, quando o texto diz que o fogo não o queimou, significa apenas que a ira do tirano Ninrode contra Abraão não fez mossa em Abraão... Quando o incrédulo terminou seu raciocínio, um dos presentes, que era um místico desse grau de perfeição espiritual, dotado de virtudes sobrenaturais, disse-lhe: "E se eu vos mostrasse que Deus literalmente falou a verdade no que disse daquele fogo, isto é, que não queimou Abraão, mas fez disso uma coisa fria e inofensiva para ele? Eu vou fazer com você neste lugar o que Deus fez com Abraão, ou seja, vou preservá-lo dos efeitos do fogo, mas sem que esse milagre seja uma graça ou um carisma de Deus em minha honra. O incrédulo respondeu: "Não será assim!" Então o sufi lhe disse: "Este fogo é um fogo ardente real ou não? O incrédulo respondeu: "De fato, é verdade". Então o sufi lhe disse: "Veja por si mesmo!" E ao dizer isso, jogou as brasas que estavam no braseiro no colo de sua túnica, e por um momento o incrédulo ficou de pé, virando-as com a mão e imaginando que não o haviam queimado. O sufista, então, jogou as brasas no braseiro e disse: "Agora coloque a mão nas brasas". E quando colocou a mão perto do braseiro, queimou-o. Então o sufi lhe disse: "Isto é o que eu lhe ordenei que queimasse, que ele queimasse. Pois o fogo só obedece; arde se lhe for dito, e também para de arder, porque Deus faz o que quer. E o descrente converteu-se ao Islão e reconheceu o seu erro."

No misticismo muçulmano, como no misticismo cristão, os meios de alcançar essa perfeição são todas as práticas de piedade e devoção que, por seu exercício assíduo, facilitam a obtenção progressiva desse grau. Abenarabi geralmente concorda com esses princípios, a saber: o projeto de vida; autoexame; o exercício da presença de Deus; a oração em suas diversas formas, vocal e mental, leitura meditativa, ejaculações, contemplação, etc. a escolha do diretor espiritual e mortificação corporal.

Quanto ao plano da vida, ele coincide com a regra monástica, no caso dos cenobitas, porém, para os simples fiéis, Abenarabi propõe em seu *Cunh* um planejamento das horas do dia, ocupadas entre as obrigações da regra e os exercícios da piedade que devem ser cumpridos em seu tempo livre: leitura espiritual, exame, meditação, etc. Como podemos ver, o plano de vida não era apenas uma prática comum nos conventos cristãos, mas também no mundo muçulmano, tanto fora quanto dentro dos mosteiros.

O exame de consciência consiste em prever os perigos ou oportunidades do pecado, em fornecer os meios e recursos para evitá-los e em examinar os resultados da luta. É uma prática devocional diária: todas as noites, antes de dormir, o devoto deve lembrar-se dos atos, realizados ou omitidos, durante o dia, contrastá-los com o que Deus deve esperar dele e tentar encontrar uma emenda para suas fraquezas. Esse exercício já era encontrado no monaquismo e na patrística cristã, tanto oriental quanto ocidental.

O exercício da presença de Deus é um acto de fé, uma íntima convicção de que Deus dirige sempre o seu olhar para o coração humano. "Convença-se", disse Abenarabi ao novato, "de que não há ninguém no mundo além dele (Deus) e de você". (*Tadbirat,* 232). A ideia é que existe um universo particular para cada ser humano, e dentro dele, dentro desse círculo que pode ser sobreposto aos outros, as duas figuras principais são Deus e a pessoa em questão. Para cada um de nós, este é o único universo que existe, não os outros. Esse círculo pode receber olhares divinos de caráter místico singular: são o veículo das graças de iluminação que Deus concede à alma que lhe agrada, em conversas íntimas com ela. Nesse estado, a alma cora ao imaginar que Deus, vasculhando as profundezas de seu coração, o encontrará dominado por alguém que não Ele mesmo. Abenarabi insiste na necessidade de preservar a presença de Deus em todos os momentos do dia que são livres entre outras práticas piedosas, isto é, fora da própria oração.

Abenarabi aconselha duas maneiras de alcançar esse estado. A primeira é persistir sempre na ideia de esvaziar a mente de tudo o que não é Deus, até que essa intenção se torne habitual. A segunda é a fuga ou isolamento físico e moral do mundo, porque o contato íntimo com Deus exclui a presença de outras criaturas. Deus só se manifesta na solidão absoluta.

Existem cinco tipos de orações que Abenarabi descreve em suas obras: a oração litúrgica obrigatória para todos os fiéis (sala), a leitura meditativa do Alcorão (talawa), a meditação em si (tafachor), o canto religioso (samáa) e a contemplação adquirida através do exercício da solidão (jalwa), que consiste na recitação repetitiva de orações ejaculatórias para evocar e preservar a memória de Deus (dzicr).

Quando se trata de meditação, Abenarabi se inspira em um de seus mestres espirituais mais respeitados, Mohammed b. Casum, de Sevilha, os assuntos com os quais ele mais frequentemente tem que lidar: o nada das coisas deste mundo, os juízos inescrutáveis da Providência, a glória do paraíso e a majestade divina.

No que diz respeito ao canto religioso, o cristianismo, como religião mais antiga, é logicamente um precursor, nesta área como na maioria dos aspectos da prática devocional. Cassiano, em seus

Institutos, nos dá uma descrição completa de como era o coro monástico dos mosteiros do Oriente no século V. Os monges cantaram três salmos em dois coros; outros três foram cantados por solistas, enquanto os outros se sentaram e ouviram em silêncio. Lições ou cânticos foram adicionados aos salmos, desta vez não de origem bíblica. Tudo isso foi escolhido de acordo com o humor da comunidade, considerando as circunstâncias do momento. Algumas orações chamadas coletas foram improvisadas por um irmão para encerrar o culto.

O momento exato em que um exercício semelhante é introduzido no Islã não foi determinado. No entanto, sabe-se que um sufi do Egito, Dulnun el Misri, foi um dos primeiros propagadores dele, no século IX d.C. Dulnún também era um asceta girovo e um místico contemplativo.

Esta canção era uma espécie de concerto vocal em que um solista (cawal) cantava textos do Alcorão ou fragmentos de prosa ou verso, como temas para meditação, suscetíveis de provocar emoção extática na alma. Um paddock, fechado aos leigos, é o local onde acontece a sessão de canto religioso. Somente aqueles que são iniciados na vida mística são admitidos. Os noviços se tornarão noviços quando o mestre decidir certificá-lo.

Vestidos com seus hábitos comuns, sentam-se no chão, presididos pelo ancião (xeij) ou prior da comunidade. Apenas um dos irmãos ainda está de pé, o cantor ou solista (cawal).

Em geral, o repertório de canções inclui sobretudo poesia erótica entendida em sentido alegórico, isto é, como união amorosa da alma com Deus, embora não faltem versos de natureza ascética, com tema desolador e triste, a morte e suas agonias, o término desta vida, os episódios do Juízo Final e as dores do inferno.

Em algum momento durante o show, os efeitos começam a entrar em ação. Um dos irmãos se levanta, arrebatado pelo êxtase, irrompe ao seu lado em frases enigmáticas e audaciosas. Toda a comunidade então se levanta até que, após o transe, todos se sentam para retomar o exercício.

Abenarabi, que foi treinado na Espanha em um ambiente ascético mais austero e resistente a tais exageros ostensivos, não escondeu seu desgosto por tal espetáculo. Se a alma sensível não foi dominada pelo espírito, há sempre o perigo da sensualidade em detrimento da aspiração espiritual a Deus, objetivo da vida mística. Este princípio básico da espiritualidade, que prefere a desolação e a aridez aos derramamentos consoladores da alma, é um legado do monaquismo oriental, que foi preservado no Islã por certas ordens, em particular a dos Xadilís espanhóis, herdeiros de Abenarabi e sua escola.

A oração da solidão, que também é inspirada pelo monaquismo oriental, especialmente pelos monges do Vale do Nilo, é de particular importância no método sufista. Nesses mosteiros, o prior permitia que o monge se isolasse da comunidade, trancando-se em uma pequena cela em um local isolado nos fundos do mosteiro ou retirando-se completamente de qualquer lugar habitado. Para evitar visitas, e com elas qualquer perigo de vaidade espiritual, a porta de acesso foi bloqueada, apenas uma pequena janela se abriu para o exterior para receber o alimento indispensável. Em meio a um silêncio sepulcral, quebrado apenas pela monotonia de breves orações repetidas isocronicamente, dedica-se à contemplação.

Desde cedo, o Islã experimentou um exercício semelhante, praticado por crentes comuns, que foi chamado de iticaf ou retiro espiritual.

Em qualquer época do ano, embora seja praticada preferencialmente na última década do mês do Ramadã, dedicado à penitência e ao jejum, todo simples crente na vida secular resolve, às vezes com um voto religioso, abandonar sua casa, família e negócios, isolar-se por um, três ou dez dias em uma mesquita, para dedicar-se a uma vida piedosa que consiste essencialmente, além da intenção geral de servir a Deus, na castidade perfeita, na reclusão absoluta e no jejum ritual muçulmano. Além desses atos negativos de privação ou mortificação, há atos positivos de leitura do Alcorão, oração e meditação.

No entanto, o iticaf era praticado no Islã pelos sufis de uma forma mais rigorosa e costumeira, que tomou o nome de solidão ou jalwa. Embora essa modalidade não esteja disponível para todos, no sentido de que só era recomendada para aqueles que haviam completado os exercícios anteriores. Em primeiro lugar, a oração da solidão requer uma purgação total da alma, através da disciplina ascética, porque sem mortificação prévia, a iluminação que é fruto da solidão não pode ser alcançada. Também é necessário já ter dado os primeiros passos no caminho da perfeição, alcançando três virtudes: abstinência (waraa), austeridade (zohd) e abnegação ou abandono a Deus (tawácol). Além disso, Abenarabi recomenda a assistência de um guia espiritual.

A oração em si é descrita da seguinte forma: uma vez que o devoto foi colocado na presença de Deus, com os mais profundos sentimentos de humildade e reverência, e após as abluções rituais, que são de rigueur para a oração litúrgica, ele se prepara para o exercício por um ato de contrição, seguido por outro de entrega ou renúncia nas mãos de Deus. Ele então se senta no centro da cela em direção à alquibla, olhos fechados e mãos nos joelhos, e começa a recitar uma ejaculação curta. Abenarabi recomenda a primeira das duas partes que compõem a fórmula islâmica da fé: "Não há Senhor senão Deus", pronunciada em duas partes; a primeira, "Não há Senhor", esvazia a alma de todas as imagens, ideias ou desejos de coisas que não são Deus; o segundo, "exceto Deus", fixa e concentra todas as energias espirituais somente em Deus, preparando-o para a contemplação extática. A emissão rítmica das incidências do ejaculatório é acompanhada por movimentos isócronos da cabeça e do tronco, que se curvam e eretam alternadamente quando cada um deles é pronunciado, de modo que o primeiro é pronunciado com a cabeça, como se a frase negativa "Não há Senhor" fosse pronunciada abaixo do umbigo, e a frase afirmativa "exceto Deus" como se fosse tirada do coração.

A doutrina védica dos Upanishads colocava o objetivo da perfeição e felicidade na concentração da mente através da eliminação de todas as ideias que não fossem as do Ser Absoluto, e os adeptos do sistema de yoga praticavam para esse fim um certo método de autossugestão hipnótica, muito semelhante ao prescrito por Abenabi: O iogue agachado imóvel, olhos fixos e atenção fixa na sílaba Om, nome esotérico de Brahma, e cai em êxtase por causa da perda de consciência. Uma disciplina de respiração, verdadeira ginástica rítmica de inspiração e expiração, foi praticada por Patanchali para alcançar o mesmo resultado. Em seu *Amratkund,* Samacandí percebeu a hibridação árabe dessa disciplina extática de iogues com o método sufi de oração da solidão. Não se deve esquecer que o Islã penetrou amplamente na Índia.

Abenarabi parte do axioma teológico da necessidade da graça como origem primária de todo o processo de perfeição na vida ascética e mística: seu duplo caminho, iluminador e motivador ou estimulante, é indispensável a todo ato de virtude. Esses atos engendram estados psicológicos de essência sobrenatural na alma, pois são fruto da graça. O estado hal transitório difere da morada macam em que esta última é permanente.

Essa distinção não afeta a essência mística de ambos, pois o estado e a morada consistem em um ato de convicção ou fé viva que engendra outro de despojar a alma diante de Deus, que por sua vez se transforma em outro de união mística com Ele, cujo fruto final é a iluminação da alma. Entrar em uma morada é fazer um voto a Deus, ou comprometer-se a Deus de agir de acordo com as exigências de virtude próprias daquela habitação. Dentro de cada habitação ainda há espaço para graus de perfeição (manazil).

A teologia dogmática do Islã, como a teologia cristã, admite a existência de carismas. Todo fenômeno sobrenatural, isto é, aquele que interrompe o curso ordinário das leis físicas, deve ser produzido somente por Deus, que é o autor dessas leis, mas se manifesta no mundo através de um homem que Deus escolhe como seu instrumento.

Abenarabi distingue dois tipos de carisma: o carisma externo e o carisma interior. Fenômenos externos são aqueles que consistem em fenômenos físicos ou objetivos, que qualquer um pode notar, e que ocorrem fora do sujeito: andar sobre a água, voar, transmutar matéria, etc. São aquelas internas ou espirituais, aquelas que ocorrem na alma do místico ou de outra pessoa. A este gênero pertencem as revelações dos mistérios dos mundos físico, psicológico e divino. Estes são os estados místicos mais sublimes e anormais que ocorrem nas almas que atingiram o ápice da perfeição. Como o estado de santa conformidade à vontade divina em todos os casos e eventos, a convicção íntima da própria baixeza e miséria, a confiança profundamente enraizada na salvação eterna, etc. O verdadeiro carisma, sinal autêntico e infalível de que Deus honra verdadeiramente a alma, é a santidade.

O prodígio moral, que é a eliminação do vício, é a causa do prodígio físico.

Há na psicologia humana uma certa faculdade ou energia, que os sufis chamam de aspiração, voto ou intenção, e sinceridade, que, mesmo em homens normais da vida mundana, produz fenômenos que nada têm de sobrenatural e, no entanto, parecem ser prodígios. Abenarabi cita exemplos de autossugestão, devido à faculdade que os escolásticos chamavam de "extimativa" ou "medrosa". Vamos dar o seguinte exemplo: sobre uma tábua colocada no chão, o homem passa sem dificuldade, porque não tem medo de cair. Se, por outro lado, a prancha é esticada a uma altura considerável, ou sobre um abismo, então ele imagina vividamente que está prestes a cair, e essa simples autosugestão é suficiente para fazê-lo realmente cair. O fascínio pelo olhar pode produzir fenômenos análogos, o mesmo se pode dizer do fascínio produzido pela audácia, pelo terror do pânico, pela voz humana, pelo canto, pela música instrumental: todas essas causas naturais engendram emoções e humores, que se maravilham com sua anormalidade. Entre o milagre ou carisma e aqueles outros fenômenos maravilhosos, mas explicáveis, da psicologia natural não há outra diferença senão a de grau.

Outra explicação dada por Abenacar, desta vez de caráter propriamente místico, consiste na comparação do modo como o fogo purifica o ouro no cadinho e o volatiliza, de modo que a alma, purgada pela mortificação ascética, no calor da graça, no cadinho do corpo, também se volatiliza e, sem abandoná-lo completamente, eleva-se ao mundo espiritual do qual acaba de encontrar pela virtude divina os dons primitivos de sua origem angélica: invisibilidade, leveza, energias sobrenaturais, iluminação; Isso a torna capaz de realizar prodígios carismáticos. A mortificação ascética, ao domar o corpo, liberta a alma de sua prisão.

O método de Abul-l-Hasan al-Sadili baseia-se na união com Deus através do recolhimento, e a porta para o recolhimento está na oração mental com meditação contínua, ou seja, na presença de Deus, tendo sempre a convicção da alma de que está nas mãos de Deus e que Deus está observando-o e zelando por ele, assim como é Deus quem cria seus movimentos e descansos, suas palavras e desejos, e tudo o que a alma faz, bom ou ruim, útil ou prejudicial, é toda criação e decreto de Deus. Por causa dessa presença de Deus, o método Sadili é o mais fácil e simples, pois não há necessidade de uma grande luta ascética, porque a luz natural que existe na alma é auxiliada e fortalecida pelas luzes do ascetismo, com a contribuição da qual as más qualidades são expulsas da alma e uma maior aproximação à presença de Deus e um distanciamento da baixeza do mundo é alcançado. pois a oração mental consome com seu fogo tudo o que está no coração que não é Deus. Assim, a luta ascética, através da mortificação das paixões e da morte de toda concupiscência, remove o véu que separa a alma de Deus, e é o único meio de chegar a Ele. Purgação e nudez são ditas como palavras de ordem da doutrina Sadili.

Há quatro condições para a purgação: silêncio, solidão, jejum e vigilância. Cada uma dessas quatro condições serve para repelir os quatro inimigos da alma: 1. Satanás, que usa a arma da saciedade, que está aprisionado pela fome; 2. As paixões, cuja arma é a verborragia, aprisionada pelo silêncio; 3. O mundo, cujas armas são as relações sociais, aprisionado na solidão e no isolamento; 4. Concupiscência, que é armada pelo sono e aprisionada pelo estado de vigília.

No entanto, a fome excessiva interfere na meditação, o silêncio excessivo prejudica a sabedoria, a vigília excessiva interfere no exercício dos sentidos externos, a solidão excessiva prejudica as relações sociais. *In medio virtus.*

"O conhecimento divino só é encontrado em vasos vazios", diz Abu-l-Hasan al-Sadili. Como o Tao nos disse, apenas os recipientes vazios servem idealmente o seu propósito. Ele também nos diz: "Tribulação é a Páscoa daqueles que buscam a Deus". De fato: "Na tribulação e na miséria há favores divinos secretos que só aqueles que são dotados de uma visão interior são capazes de compreender. Não pensais que as advertências apagam o fogo das paixões, deixando-as atônitas e esquecidas da satisfação de seus apetites? Além disso, na tribulação, a alma percebe sua humildade, e é sabido que a ajuda de Deus sempre coincide com o reconhecimento da própria humildade, como Ele mesmo diz (Alcorão, III, 119): "Em verdade, Deus o ajudou na jornada de Badr quando você era muito fraco".

"A tribulação abre o tesouro dos dons divinos com grande abertura. Se quereis que Deus os derrame sobre vós, vede primeiro se a pobreza e a miséria se realizam em vós, pois é somente aos pobres que a esmola é dada. "Quando duvidares de duas coisas que deveis escolher, veja qual é mais pesado para a alma e siga-o, pois não é mais pesado para a alma, mas o que é melhor para ela."

Os frutos da oração são os seguintes: "Ele expulsa o diabo de seu coração, impede-o de se aproximar dele e o derrota. Isso agrada a Deus e irrita o diabo. Dissipa preocupações e tristezas e gera alegria no coração, que se manifesta até mesmo no rosto. Inspirar em cada momento o que precisa ser feito. A oração constante é uma das causas mais eficazes para despertar na alma o amor de Deus e a vigilância atenta para servi-lo, praticando o bem como um escravo que vê seu Senhor com seus próprios olhos. Abre a porta da contemplação e fertiliza o coração como a chuva abundante fertiliza os campos... Ele polia o coração limpando-o de sua ferrugem, que é negligência e afetos desordenados. Para a mente reflexiva, a oração é como a lâmpada que nos guia através das trevas e nos direciona para o caminho certo, expulsando pecados e defeitos. Quem reza viverá, mesmo que morra; mas o descuidado, embora vivo, está morto.

"Na placa ou tablet, desde que o que foi escrito nela não seja apagado, nada pode ser escrito. O coração é um só e, portanto, não se pode supor que esteja sujeito a duas coisas ao mesmo tempo, muito menos a muitas coisas que são muitas. Portanto, o coração, que está cheio de imagens de coisas sensíveis, embora possa dizer mil vezes, "Deus!" prestará pouca atenção ao significado de tal ideia. Se, por outro lado, ele está vazio de tudo o que não é Deus, mesmo que diga Deus apenas uma vez, ele encontrará em si mesmo uma alegria tão intensa que a língua será incapaz de descrevê-la.

Os sintomas da perfeição espiritual são de três tipos: a entrega do próprio livre-arbítrio; a privação do governo de si mesmo; a negação ou abandono da vontade nas mãos de Deus.

É uma condição de perfeição espiritual tal que eles não escolhem nada por livre e espontânea vontade, porque os perfeitos se contentam com o que Deus escolhe para eles; para que não tenham sequer uma inclinação própria para o que é lícito... Portanto, ao entrar no caminho da perfeição, o devoto, se casado, não deve separar-se ou divorciar-se de sua esposa; e se ele é solteiro, ele não deve se casar até que tenha atingido a perfeição completa e então fazer o que seu Senhor o inspira a fazer...

Nenhuma das nove mansões da vida espiritual é alcançada sem abolir o próprio governo e o exercício do livre-arbítrio, deixando tudo nas mãos de Deus.

"O penitente deve arrepender-se de seus pecados e do exercício de sua liberdade em suas relações com Deus, pois tal exercício de sua própria vontade é um dos maiores pecados espirituais e secretos, e penitência é arrependimento de tudo o que é desagradar a Deus; e o exercício do vosso livre-arbítrio não é agradável a Deus em vós, pois é associar-vos a Ele na dignidade de Senhor, e ser infiel ao bem que Ele vos fez à luz do entendimento.

"O descuidado de madrugada, a primeira coisa que ele pergunta é: 'O que eu vou fazer hoje?' O devoto que é inteligente primeiro pergunta: "O que Deus fará comigo hoje?" Assim, esvaziando-se de todos os cuidados, Deus preencherá o vazio satisfazendo suas necessidades e com os estados espirituais que Ele incute nele. "É a felicidade suprema e a graça suprema que Deus concede aos servos a quem ama."

V. O ZOHAR E A CABALA.

A palavra Cabala significa Tradição (ou Recepção), especialmente a do povo hebreu desde suas origens até os dias atuais. Isso é o que podemos chamar de esoterismo judaico.

Existem dois textos cabalísticos fundamentais: o *Sefer Yetzirah* (*o Livro da Formação*), que provavelmente data do século IV, embora não seja mencionado até o século X, e o *Zohar,* ou *Livro do Esplendor*, do século XIII, escrito na Espanha, ao qual deve ser adicionado o *Bahir, Livro da Clareza,* escrito no sul da França em meados do século XII.

O tema central da Cabalá é a metafísica da linguagem, razão pela qual as letras do alfabeto hebraico ocupam um lugar fundamental. O universo é, de fato, um imenso conjunto de letras cuja articulação constitui o cosmos como se fosse um livro em que todas as coisas são codificadas. Deve-se notar também que essas letras são, ao mesmo tempo, números e que o conjunto de números e suas combinações formam o mundo, uma vez que esse conjunto pode ser pesado e contado, e, portanto, também pode ser escrito, como pensavam os pitagóricos, que exerceram uma importante influência sobre os neoplatônicos dos primeiros séculos d.C. Muitos estudiosos têm apontado as ligações óbvias entre o neoplatônico, gnóstico e outros esoterismos ocidentais com a Cabalá Hebraica, que foi fundada na *Torá* ou Ciência Sagrada, onde traços da mensagem cabalística já podem ser encontrados.

Gershom Sholem usa o termo gnosticismo judaico em referência a certos estudiosos judeus que viveram durante os primeiros séculos d.C. em lugares como Alexandria e outros enclaves no Mediterrâneo, nos quais evidências históricas mostram que as correntes neoplatônicas e neopitagóricas, a tradição hermética, os gnósticos, o ramo do judaísmo chamado cristianismo, coincidiram com o paganismo de Proclo.

O Sefer Yetzirah é o primeiro livro cabalístico em que os dez números principais, as Sefirot da Árvore da Vida, são precisamente fixos.

Gershom Scholem diz sobre esta obra: "Percebemos claramente nela uma mistura de misticismo numerológico, correspondendo ao helenismo tardio e mesmo ao neoplatonismo posterior, com formas de pensamento tipicamente judaicas que giram em torno do mistério das letras e da linguagem".

E acrescenta:

Por outro lado, não podemos ignorar a relação entre o "*Livro da Criação*" e a teoria da magia e da teurgia que, como vimos, tem sua importância no misticismo do *Merkabah*. »

Aryeh Kaplan confirma as razões de Scholem em seu estudo da obra: "Uma análise cuidadosa revela que o *Sefer Yetzirah* é um texto meditativo com fortes harmônicos mágicos. Esta posição é apoiada pelas mais antigas tradições talmúdicas que indicam que poderia ser usada para criar seres vivos. Particularmente significativos são os muitos testemunhos e lendas de que o *Sefer Yetzirah* é usado para criar um Golem, um tipo de androide mítico. "

No *Sefer Yetzirah*, nos é dito que existem 32 caminhos pelos quais o não manifesto se manifesta e, inversamente, esses também são os meios para alcançá-lo. Esses caminhos se articulam na Árvore da Vida e servem para unir as sefirots entre si, colocando-as em comunicação à medida que o sangue e seu sistema dão vida ao corpo em que circulam.

Segundo os cabalistas, devemos acrescentar ao discurso decimal, segundo o qual a Criação (a Árvore da Vida) se desenvolve, os vinte e dois caminhos que os unem em um padrão tradicional, dando-nos juntos a soma dos trinta e dois caminhos mencionados no livro.

Tudo pode ser numerado e nomeado com a ajuda dos primeiros dez dígitos, a conjunção de números e letras revela a misteriosa relação que os une, não só porque as letras formam palavras, mas também porque essas palavras por sua vez correspondem a números concretos, graças aos quais várias transposições e novas palavras geradas pela magia da linguagem e números exatos são organizadas. Tais cálculos constantemente esclarecem e até criam mundos que o cabalista molda, mesmo sem querer, durante sua meditação.

Esta Árvore é válida tanto para o macrocosmo quanto para o microcosmo, ou seja, tanto para o Universo quanto para o homem, uma analogia que pode ser encontrada em várias tradições esotéricas cujas origens estão enraizadas na Cabalá e seu esoterismo.

O *Sepher Yetzirah* representa um discurso mágico, combinatório e poético contínuo, que desenvolve todos os tipos de possibilidades, sempre novas, para a meditação do cabalista.

O *"Sefer ha Zohar" (Livro do Esplendor)* é uma coleção de Cabalá judaica e um dos grandes livros sagrados da humanidade. Foi composta na Espanha por um judeu castelhano, Rebí Moisés de León. Seu objetivo é a busca da qualidade divina na mente humana.

As fontes do *Zohar* são encontradas nos fundamentos da sabedoria judaica*: o Pentateuco, os Profetas, Daniel, o Livro de Enoque, os Apocalipses, o Talmudim* (Mishná, Gemarra e Hagadá), o *Midrashim,* a literatura gaonítica e os dois livros que o precederam na especulação cabalística: *o Sefer Yetzirah* e o *Sefer Bahir.*

Rebi Moisés de Leão desenterrou-o no final do século XIII. Estudioso e cabalista, era natural da citada cidade de onde tirou seu nome, embora tenha passado a última parte de sua vida em Arévalo, na província de Ávila. Ele afirma que o corpo principal do livro era um manuscrito antigo atribuído a Rebi Simeon ben Yochai, um tanaita do século II e uma das figuras mais importantes mencionadas no Talmud, a quem foi revelado durante os treze anos que passou na solidão.

O *Zohar* cria um conceito religioso segundo o qual há uma substância universal que está constantemente pensando e agindo. Ele emana do universo, mas não está incluído nele. Ele ensina que criar é pensar. Aí encontramos a ideia da evolução de infinitas formas, formas através das quais a Substância Divina se manifesta e se desenvolve por meio de regras de pensamento que são inalteráveis, e a crença de que tudo o que existe faz parte da Sabedoria Divina. Dessa forma, dois mundos nos são apresentados: o que está acima e o que sabemos estar abaixo.

O próprio Hermes teria assinado cada um desses preceitos sem questionar.

O Zohar conseguiu convocar todos os estratos do judaísmo. A classe intelectual foi atraída pelos grandes problemas, pelas mensagens místicas e pela filosofia poético-religiosa que continha. A classe não esclarecida veio até ele pelos conceitos lendários e éticos, pela esperança que continha e pelo conforto que emana de todas as suas páginas e ajuda as pessoas a suportar as tribulações deste mundo. Por outro lado, as missas também foram atraídas pelo ambiente santo, mas festivo, que envolvia o livro. O *Zohar* foi ao mesmo tempo um livro de santidade, esperança, milagres, salvação, cura para o corpo e conforto para a alma. Contém uma atmosfera mística que pode surgir do silêncio da abstração completa ou do repentino clarão de iluminação.

Simeão Ben Yochai tem a grandeza da simplicidade; Seus discursos são construídos em linguagem simples e ele prefere proferi-los ao ar livre. Ele nos aparece sentado no centro de seus discípulos, tocando-se uns aos outros com as mãos estendidas, sentado em êxtase por horas e até dias, ouvindo revelações sobre os mistérios eternos.

O segundo século foi uma época turbulenta e Rebi Simeão testemunhou a morte violenta de seu mestre Akiba nas mãos dos romanos. Ele viu os infortúnios a que os soberanos submeteram seu povo, e seu coração se encheu de amargura. Aparentemente, isso o colocou em apuros com as autoridades de ocupação.

Simeão ben Yochai caminhou com seus discípulos pelo Mar da Galileia, ensinando-lhes a Torá e explicando a palavra de Deus revelada pelos profetas e mestres de Israel. Lá, ele hostilizou seus seguidores: "Ai do homem que vê na interpretação da lei apenas a recitação de uma mera narração. Se assim fosse, não teríamos dificuldade em compreender uma Torá melhor e mais atraente do que a que temos hoje. Mas as palavras que lemos são apenas o manto exterior. Cada um deles contém um significado mais elevado do que parece. Cada um deles contém um mistério sublime que é preciso persistir em tentar penetrar... Sob as vestes da Torá, que são as palavras, e sob o corpo da Torá, que são os mandamentos, há a alma, que é o mistério oculto... Há uma alma na alma, que se alimenta da lei".

"Somos a síntese de todas as coisas", revelou certa vez aos seus discípulos. "A alma viva que Deus soprou em nós é o selo impresso no homem, permitindo-lhe ascender aos mesmos mistérios superiores, ao coração de tudo o que está oculto, e saber que as almas de todos os que vivem, tanto acima como abaixo, dependem da alma que atingiu o estado mais elevado. Aquele que eleva sua alma a Deus pode alcançar até mesmo a fonte mais elevada. Todas as almas formam uma unidade com a alma divina. Aquele que perde a alma destruiu a harmonia divina".

"Sabei que todos os mundos superiores e inferiores estão incluídos à imagem de Deus. Tudo foi e tudo será. Nunca mudou e nunca vai mudar. É o centro de toda a perfeição. Ele contém todas as imagens de todas as coisas que estamos conscientes com todos os nossos sentidos e em todas as nossas formas. Mas só a vemos como uma reprodução porque ninguém a viu, e ninguém pode vê-la em sua verdadeira forma. Tudo o que sabemos é que o homem mais se assemelha ao original. E sabemos que essas coisas só são reveladas a quem cultiva o campo.

Antes que qualquer forma fosse criada, Deus estava sozinho, sem forma e diferente de tudo. E é por isso que o homem não é capaz de descrevê-la, não lhe é permitido representá-la nem na pintura, nem pelo nome, nem mesmo por um ponto. Mas depois de criar o homem, Deus quis ser conhecido por Seus atributos: como o Deus da Graça, o Deus da Justiça, o Deus Todo-Poderoso, o Deus dos Exércitos e Aquele que É. É somente por Seus atributos que podemos dizer: Toda a Terra está cheia de Sua glória. Foi assim que os dez Sephiroth foram criados: o primeiro é a coroa, uma fonte onde brilha a luz infinita e que chamamos de Infinito ou EnSoph. Então vem um vaso tão concentrado quanto um ponto, como a letra Yod, é a Fonte da Sabedoria, a Sabedoria de Deus. Depois vem uma embarcação tão imensa quanto o mar, é a inteligência, que nos dá o direito de chamar Deus de Inteligente. Entre a sabedoria e o entendimento, Deus derramou Sua própria substância, de modo que deste mar saíram os sete canais ou atributos: graça, justiça, beleza, triunfo, glória, realeza e fundação. Assim, podemos nos referir a Deus como: o grande, o misericordioso, o forte, o magnífico, o Deus da vitória e Aquele que é a base de todas as coisas".

"Ao dar forma a Si mesmo, Deus deu vida a tudo o que existe. E aconteceu: a princípio, que o som da palavra colidiu no vazio e se formou a partir de um ponto imperceptível, a origem da luz. Esse era o pensamento dele. A partir daí, ele desenvolveu uma forma misteriosa, que cobriu com roupas deslumbrantes. É o universo, que é ao mesmo tempo parte do nome de Deus. Então emanaram d'Ele as dez luzes que brilham na forma que tiraram d'Ele, e que enviam raios de luz em todas as direções... Todas as partes do santo nome são luzes.

Simeão Ben Yochai passa então a analisar o significado da palavra Elohim, ou o ponto abaixo, esperança e contato humano: "O santo nome contém um grande segredo: quando o mistério dos mistérios quis se manifestar, criou um ponto, que era o pensamento divino. Ele desenhou todos os tipos de imagens e gravou todos os tipos de figuras. É por isso que ele também gravou a lâmpada, que é o mais sagrado de todos os mistérios, a emanação mais profunda da mente divina... Este foi o início do edifício existente antes de qualquer outra coisa existir, e conhecido como: ELO, que significa: Nunca será realmente conhecido. Mas quando Deus quis ser mais plenamente conhecido, Ele colocou uma vestimenta preciosa sobre ele e criou ELEH, que significa: toda a criação. E esses dois juntos formam o nome Elohim, que significa: o ponto sagrado abaixo. Àquele que é conhecido como Paraíso na terra e seu mistério. O ponto sagrado lança uma luz em quatro direções, cujo brilho ninguém pode resistir. Apenas os raios que emanam dela são visíveis. Mas como todas as coisas criadas estão cheias de um profundo desejo de se aproximar dos raios que emanam do ponto sagrado, ele formou em sua extremidade final outro ponto de luz, conhecido como o ponto de baixo: Elohim. No entanto, Elohim é composto da mesma luz que o ponto sagrado acima, que é EnSoph. "

Ele então define a ciência da unidade sagrada pela comparação da lâmpada: "Esta é a chama de uma lâmpada: primeiro vemos duas luzes; um branco brilhante, o outro escuro ou azulado. A luz branca está acima e sobe em linha reta; A luz escura está embaixo e parece formar a base da outra. Mas eles estão tão intimamente ligados que nos parecem uma mera chama. No entanto, a base, que é uma luz escura, está presa ao bico embaixo. A luz branca mantém sua brancura luminosa sempre inalterada, enquanto a luz baixa, a luz escura, parece consistir em muitas tonalidades. A luz escura age em duas direções opostas: acima dela está ligada à luz branca, enquanto abaixo está ligada à matéria que a alimenta e, sendo absorvida por dentro, sobe para a luz acima ou branca. É assim que todas as coisas são absorvidas pelo Todo Supremo.

A unidade sagrada explica, assim, a transubstanciação entre as trevas primitivas e o Cosmos ou o mundo após a Criação. A matéria é a ponte, o pavio, o porta-voz, através do qual o inefável Espírito de Deus viaja do vazio primordial e do incognoscível para o mundo atualizado, onde se torna uma luz brilhante. Toda a matéria está cheia desse Espírito inesgotável e infinito, e ela só está esperando o modo próprio de fogo que lhe permita sair, que é a sua saída.

E Rebi Simeão ben Yochai começou a revelar aos seus discípulos os mistérios da Shechiná:

"Acima de todos os anjos é colocada a matrona ou Shechiná, que vela pelo palácio do rei supremo. Ela também tem sua legião de anjos, cada um deles com seus sessenta rostos e armado com uma espada... São os querubins que estão em frente ao Jardim das Delícias Terrenas e, com uma espada reluzente, guardam o caminho que leva à árvore da vida. Saiba que o caminho que leva à árvore da vida é a Matron... Todas as mensagens que o Rei Supremo envia abaixo devem primeiro passar por suas mãos. E todas as mensagens deste mundo chegam ao seu Rei Supremo porque ela as transmite. Ela é a mediadora perfeita entre o céu e a terra. "

Quanto a Hermes, o homem é também uma maravilha, um microcosmo, uma imagem fiel do seu criador e da sua criação, o Cosmos, neste caso a Shechiná: "E Deus criou o corpo do homem à imagem do mundo superior. Força e vigor irradiam do centro do corpo, onde está o coração, que nutre todos os membros. E o coração se junta ao cérebro, que está no topo. O mundo, que também é um corpo, formou-se da mesma maneira. Quando Deus criou o mundo, Ele colocou as águas do oceano ao redor da terra. E no coração do mundo habitado, Deus colocou Jerusalém. E no coração de Jerusalém está a Montanha Sagrada. A montanha contém a sede do Sinédrio, no coração do qual está o templo. No coração do templo está o Santo dos Santos, onde a Shechiná está localizada. E é o coração do mundo."

E o Mestre Rebi Simeão continua a falar do homem: "Não penses que o homem não é senão carne! O que realmente faz um homem é a sua alma... A carne, a pele, os ossos e o resto não passam de uma veste, de um véu. E quando o homem deixa este mundo, ele joga fora todos os véus que o cobrem. Apesar disso, não devemos desprezar nosso corpo, pois as várias partes dele estão de acordo com os segredos da sabedoria divina. Assim como o homem terreno é o homem celestial interior. Pois o que está acontecendo aqui na Terra é apenas a imagem de tudo o que está acontecendo lá em cima. É nesse sentido que entendemos que Deus criou o homem à sua imagem. Mas assim como no firmamento vemos diferentes figuras formadas pelas estrelas e planetas, que nos contam coisas ocultas e mistérios profundos, também na pele que envolve nosso corpo há linhas e formas que podem ser consideradas como as estrelas e planetas do corpo. E todas elas têm um significado oculto. "

A essência da sabedoria suprema é composta de terra e céu, o divino e o humano, o material e o imaterial, assim como o homem é composto de corpo e alma. O homem é a síntese de todos os nomes santos. No homem estão encerrados todos os mundos, tanto o mais alto como o mais baixo. O homem compreende todos os mistérios, mesmo aqueles que existiam antes da criação do mundo. "

Se a Lua não fosse vista e pensada (pelo homem), ela não existiria. Isso é confirmado pelo estudo da mecânica quântica. Pois é o que diz Rebi Simeão ben Yochai: "Uma vez que a forma do homem inclui tudo o que está acima no céu e abaixo na terra, Deus a escolheu como sua própria forma. Nada poderia existir antes da formação da forma humana, que contém todas as coisas. E tudo o que existe é pela graça da existência da forma humana... O homem é o ponto central em torno do qual gira toda a criação. Sua figura é a mais nobre de todas aquelas que foram aproveitadas para a carruagem de Deus. "

"Quando Deus criou o homem, imprimiu-lhe a imagem do reino santo em sua totalidade, isto é, a imagem de todas as coisas. Esta imagem é a síntese de todas as coisas que existem, tanto acima como abaixo. É também a síntese de todas as Sephirot, todos os seus nomes, suas denominações, suas formas e suas variantes.

Um dia, durante um de seus sermões, um discípulo foi tomado de emoção e caiu em lágrimas, então o Mestre ordenou que ele se sentasse ao seu lado, consolou-o e disse à congregação: "Todas as portas do céu estão fechadas, exceto a porta das lágrimas. Aqueles que guardam as portas do céu abrem-nas para admitir as lágrimas derramadas durante a oração e colocá-las diante do Santo Rei, já que Deus compartilha as dores do homem. Os mundos superiores sentem o mesmo desejo pela região das lágrimas que o homem sente pela mulher. Quando o rei se aproxima da matrona e a encontra triste, ele lhe concede tudo o que ela deseja. E quando sua tristeza espelha a tristeza do homem, Deus tem compaixão. Bem-aventurado o homem que chora enquanto reza! Cada uma das portas do céu está aberta à oração: "! Ó Senhor, abre os meus lábios e a minha boca proclamará o Teu louvor!" É através desta oração que obtemos os filhos, os meios de subsistência e até a própria vida.

Pedir água à fonte inesgotável não tem demérito. Tudo depende do que você está pedindo. Um pai de eremo pode aceitar a mais absoluta miséria porque pode ser para ele o caminho para o brilho da união com Deus. No entanto, um pai que contemplasse com absoluta indiferença a mais atroz miséria para o seu próprio povo falharia, sem dúvida, na tarefa que lhe foi atribuída neste mundo, mesmo sabendo que se trata de uma ilusão. Pode ser uma ilusão, mas fará sentido. Como disse o poeta: "Serão cinzas, mas terão sentido". A única lei que rege e redime essa baixa existência é o amor. E por amor, você trabalhará até desmaiar. Também podemos apelar à fé por amor, se esta graça nos foi concedida, para fechar a boca da necessidade. Para a maioria das pessoas, a necessidade é um ruído ensurdecedor que abafa toda a harmonia da criação e impede a alma de buscar serenamente sua própria união com o Ser Supremo. A necessidade é um limite salutar para que o orgulho e a vaidade do homem não transbordem, mas quando aperta demais, estraga corpos e almas. O vinho é um alimento, mas em excesso intoxica e corrompe o organismo e embaralha a mente. A razão está sempre no meio termo. Morreríamos de fome diante de uma mesa cheia de comida porque não ousamos pedir um pouco de comida a quem a arranjou?

Rebi Simeon Ben Yochai continua comentando sobre os benefícios da oração: "Há um motivo múltiplo na oração: a perfeição do indivíduo, a restauração dos mundos destruídos, a libertação do bem do jugo do mal, o domínio da beleza sobre a feiura, a submissão dos humildes e degenerados aos grandes e nobres. E o que é oração? É o momento em que vocês sentem Deus dentro de vocês, em um raio inesperado e revelador; quando, de repente, tomais consciência de toda a majestade e sublimidade da vida e da Natureza dominantes, então estais prostrados diante da Suprema Grandeza. Quase inconscientemente, seus lábios começam a fazer orações a essa

Grandeza Suprema. Nesse momento, o homem sente-se escravo de um Grande Rei. "

"Aquele que abençoa o Santíssimo Sacramento atrai a vida para este mundo, aqui embaixo, para a Fonte da Vida. Além disso, aquele que pronuncia a bênção recebe uma parte dela para si mesmo, e aquele que diz Amém a ele também é abençoado. E a bênção é derramada sobre todos os mundos e até desce para as regiões inferiores... Um mistério supremo permanece oculto na bênção: "Bendito és tu, ó Senhor nosso Deus!" Pois denota a Fonte Suprema, que ilumina todos os mundos, a Fonte cujas águas nunca deixam de fluir. É nesta Fonte que começa o que chamamos de mundo vindouro, e deste lugar fluem bênçãos para todas as regiões inferiores. "

"Aquele que souber aproximar-se do seu Criador e realizar esta união será feliz neste mundo e no próximo. Aqueles que desejam que suas orações venham diretamente diante do Ser Supremo dobrarão o joelho em adoração e se prostrarão com os braços estendidos e o rosto tocando o chão. E aquele que sabe realizar essa união sagrada, pelo poder de sua oração, é capaz de atenuar ou mesmo anular o castigo pronunciado contra o homem, pois então o severo decreto pronunciado contra o mundo automaticamente deixa de ter efeito. "

VI. ALQUIMIA.

A alquimia é uma antiga prática pré-científica, bem como uma disciplina filosófica que combina elementos de química, metalurgia, física, medicina, astrologia, semiótica, misticismo, espiritualismo e arte. A alquimia foi praticada na Mesopotâmia, antigo Egito, Pérsia, Índia e China, na Grécia antiga e no Império Romano, também no Império Islâmico e depois na Europa até o século XIX, em uma complexa rede de escolas e sistemas filosóficos de pelo menos 2.500 anos.

Uma possível definição desse fenômeno seria: qualquer conjunto de experimentos e especulações, de natureza esotérica, referindo-se ao processo de transmutação da matéria, que influenciou o princípio da ciência química. Um dos objetivos era a busca da panaceia universal e da pedra filosofal.

Também pode ser definido como um ramo da filosofia natural que foi praticado na Idade Média. Ali foram realizadas pesquisas para transformar a matéria, cujos objetivos fundamentais estavam focados, como já dissemos, na transformação de metais em ouro e na descoberta da pedra filosofal.

De fato, os alquimistas acreditavam que, sob certas condições astrológicas, o chumbo poderia ser aperfeiçoado em ouro. E porque estavam convencidos de que tal transformação era possível, precipitaram-na aquecendo e refinando o metal com certos processos químicos, a maioria dos quais permaneceu secreta. O interesse de chegar ao ouro é que, para eles, em seu estado puro, ele simbolizava a matéria primordial, da qual consideravam derivados, os outros corpos compostos e os corpos simples da química moderna.

Além disso, ela estudou as forças da natureza e as condições sob as quais elas se manifestavam e agiam, mas todos esses conceitos estavam simbolicamente ocultos.

Os alquimistas europeus da Idade Média são conhecidos por terem feito descobertas importantes, como álcool e ácidos minerais. Quando essa prática foi revivida, levou ao desenvolvimento da farmacologia sob a influência de Paracelso e levou ao surgimento da química moderna.

No entanto, sem descartar essa linha de pesquisa protocientífica, outros afirmam que, paralelamente a ela, o verdadeiro objetivo que os alquimistas tentaram desenvolver não era outro senão o aprimoramento, aprimoramento e purificação da alma humana, ocultando os termos e prazos dessa realização comparando a transmutação de metais e assim por diante.

Dada a influência do hermetismo na alquimia, pode ser útil explorar a analogia que ele fez entre o macrocosmo e o microcosmo, isto é, o Universo e o homem. As leis que regem uma se aplicarão à outra e vice-versa.

Os primeiros filósofos gregos, cuja abordagem da maioria dos problemas era teórica e especulativa, concluíram que a Terra consistia de alguns elementos ou substâncias básicas. Empédocles de Agriente, por volta de 430 a.C., estabeleceu que havia quatro desses elementos: terra, ar, água e fogo. Um século depois, Aristóteles assumiu que o céu constituía um quinto elemento, o éter. Os gregos acreditavam que as substâncias da terra eram formadas pelas diferentes combinações desses elementos em diferentes proporções.

Os gregos debatiam se a matéria era contínua ou descontínua, isto é, se poderia ser dividida e subdividida indefinidamente em poeira mais fina e fina, ou se, ao final desse processo, chegaria a um ponto em que as partículas seriam indivisíveis. Leucipo de Mileto e seu discípulo Demócrito de Abdera (c. 450 a.C.) insistiram que a segunda hipótese era verdadeira. Demócrito deu a essas partículas o nome de átomos (isto é, não divisíveis). Ele chegou a sugerir que algumas substâncias eram compostas por vários átomos ou combinações de átomos. Ele também acreditava que uma substância poderia ser convertida em outra organizando seus átomos de forma diferente. Considerando que essa é apenas uma hipótese sutil, a correção dessa intuição é surpreendente.

Embora a ideia possa parecer óbvia hoje, estava longe disso quando Platão e Aristóteles a rejeitaram.

Durante os califados dos abássidas, de 750 a 1258, uma escola de farmácia floresceu na Arábia. A primeira obra conhecida dessa escola é a obra que circulou na Europa em sua versão latina intitulada *De alchemia traditio summae perfectionis in duos libros divisa,* atribuída ao estudioso e filósofo árabe Abu Musa al-Sufi, conhecido no Ocidente como Geber. Esta obra, que pode ser considerada o mais antigo tratado de química propriamente dito, é uma compilação de tudo o que se acreditava e se conhecia na época.

Os alquimistas árabes trabalharam com ouro e mercúrio, arsênio e enxofre, sais e ácidos, e se familiarizaram com uma ampla gama do que hoje chamamos de reagentes químicos. Eles acreditavam que os metais eram corpos compostos, compostos de mercúrio e enxofre em diferentes proporções.

O maior alquimista árabe foi provavelmente ar Razi (850-923), um cientista persa que viveu em Bagdá. Ar Razí classificou os materiais usados pelo alquimista em corpos: pedras, vidro, sais, etc. e espíritos: mercúrio, enxofre, amônia, etc. O verdadeiro objetivo desses alquimistas era produzir ouro por meio de reações catalíticas de certos elementos. Ar Razi escreveu um livro sobre águas fortes, que especialistas no assunto disseram não ser nada mais do que soluções salinas corrosivas.

Em 670 d.C., um alquimista sírio, Calínico, teria inventado o fogo grego. Foi uma mistura de cal virgem, óleo e enxofre que salvou Constantinopla quando os muçulmanos a sitiaram pela primeira vez. Quando encontrou água, a cal virgem acendeu e o óleo queimou.

Muitos escritos árabes revelaram um caráter místico que pouco contribuiu para o avanço da química, mas outros tentaram explicar a transmutação em termos físicos. Os árabes baseavam suas teorias da matéria em ideias aristotélicas, mas seu pensamento tendia a ser mais específico, especialmente em relação à composição dos metais. Eles acreditavam que os metais eram feitos de enxofre e mercúrio. O princípio do mercúrio conferia aos metais a propriedade de fluidez, e o princípio do enxofre transformava substâncias em combustíveis e corroía metais. As reações químicas têm sido explicadas em termos de mudanças nas quantidades desses princípios em substâncias materiais.

A influência árabe penetrou pela primeira vez no Ocidente através da Espanha: o Califado de Córdoba atingiu seu auge durante os reinados de Abd al-Rahman II (912-961) e al-Hakam II (961-976). Escolas e bibliotecas foram criadas que atraíram estudantes de todo o mundo mediterrâneo. De acordo com a tradição, o monge Gerbert, mais tarde papa sob o nome de Silvestre II (999-1003), foi o primeiro europeu a conhecer as obras alquímicas escritas pelos árabes, embora ele fosse pessoalmente antes de tudo um teólogo e matemático.

Mas foram sobretudo as Cruzadas que colocaram o Ocidente em contato com a civilização árabe e despertaram um grande interesse pela ciência oriental. Deve-se notar também que a Sicília é um elo entre o Oriente e a Itália: o astrólogo Miguel Escoto dedicou seu De Secretis (1209), uma obra na qual as teorias alquímicas foram amplamente desenvolvidas, ao seu mestre, o imperador Frederico II de Hohenstaufen, que reinou nesta ilha.

A alquimia começou a se tornar moda no Ocidente em meados do século XII, quando a obra conhecida como *Turba philosophorum (A multidão de filósofos)* foi traduzida do árabe para o latim. As traduções do árabe gradualmente se multiplicaram e, no século XIII, deram origem a uma extraordinária voga literária para a alquimia.

Os alquimistas da Idade Média acreditavam que para conseguir a transmutação de metais como o chumbo, que é de baixo valor, em ouro ou prata, uma boa quantidade de mercúrio tinha que ser adicionada e combinada para conseguir a transmutação. Por outro lado, eles também acreditavam que, para que essa reação ocorresse, ela teria que ocorrer na presença de um catalisador chamado pedra filosofal. A história da alquimia é essencialmente a busca por esse catalisador.

Os ácidos minerais: nítrico, clorídrico e, sobretudo, sulfúrico, introduziram uma verdadeira revolução nas experiências de alquimia. Essas substâncias eram ácidos muito mais fortes do que os mais fortes conhecidos até então (ácido acético ou vinagre), e com eles, as substâncias podiam ser quebradas, sem a necessidade de altas temperaturas ou longos períodos de espera.

O primeiro ácido mineral a ser descoberto foi provavelmente o ácido nítrico, feito pela destilação de salitre, vitriol e alum. O que apresentou maior dificuldade foi o ácido sulfúrico, que foi destilado apenas a partir de vitriol ou alúmen, mas que necessitava de vasos resistentes à corrosão e ao calor. Muito mais difícil era o ácido clorídrico, que era destilado a partir de sal comum ou sal amoniacal, e vitriol ou alume.

No Renascimento, o alquimista tornou-se um químico, e a alquimia tornou-se a ciência chamada química. Um novo interesse pelas teorias gregas sobre o assunto surgiu. As pesquisas realizadas pelos alquimistas da Idade Média serviram para lançar as bases da química moderna. O conhecimento químico expandiu-se dramaticamente, e os cientistas começaram a explicar o universo e seus fenômenos por meio da química. O trabalho químico no sentido moderno da palavra está começando a aparecer. Por outro lado, a alquimia está atingindo seu auge e está cada vez mais associada à Cabala, magia e teosofia.

No brilhante nascimento da ciência química, um dos primeiros gênios foi Robert Boyle, que formou a lei dos gases que hoje leva seu nome. Em seu livro "*The Skeptical Chemist*" (1661), Boyle foi o primeiro a estabelecer o critério moderno pelo qual um elemento é definido: uma substância básica pode se combinar com outros elementos para formar compostos e, inversamente, estes não podem ser quebrados em uma substância mais simples. No entanto, Boyle manteve uma certa perspectiva medieval sobre a natureza dos elementos. Por exemplo, ele acreditava que o ouro não era um elemento e que poderia de alguma forma ser formado a partir de outros metais. As mesmas ideias foram compartilhadas por seu contemporâneo Isaac Newton, que dedicou grande parte de sua vida à alquimia.

Paracelso (nascido em 1493) foi um médico e alquimista suíço. Foi ele quem estabeleceu o papel da química na medicina. Ele publicou *O Grande Livro de Cirurgia* em 1536 e uma Descrição Clínica da Sífilis *em 1530*. Filho de um médico e de um químico, sua mãe morreu quando ele era muito jovem e eles se mudaram para o sul da Áustria, onde seu pai lhe ensinou a teoria e a prática da química. O jovem Paracelso aprendeu muito sobre metais com os mineiros da região e se perguntou se algum dia descobriria como transformar chumbo em ouro. Em 1507, aos 14 anos, juntou-se a um grupo de jovens que vasculhavam a Europa em busca de grandes professores nas universidades. Frequentou várias universidades e se decepcionou com a educação tradicional.

Participou como cirurgião nas Guerras Holandesas. Ele passou pela Rússia, Lituânia, Inglaterra, Escócia, Hungria e Irlanda, e em seus últimos anos seu desejo errante o levou ao Egito, Arábia e Constantinopla. "Em todos os lugares que visitei, aprendi algo sobre alquimia e medicina."

Foi em Basileia que atingiu o auge de sua carreira. Sua fama se espalhou pelo mundo conhecido. Ele escreveu sobre o poder de cura da natureza e como tratar feridas. Ele disse que, se você evitasse que uma ferida fosse infectada, ela cicatrizaria por conta própria. Ele atacou severamente muitas das práticas médicas errôneas da época e desqualificou as pílulas, infusões, bálsamos, soluções e outros remédios da época.

Seu triunfo em Basileia durou menos de um ano, pois ele havia feito muitos inimigos. Era considerado um charlatão pelos profissionais da época. De repente, ele foi forçado a fugir para a Alsácia. Passou vários anos morando com amigos, revisando antigos tratados e escrevendo novos. Com a publicação do *Grande Livro da Cirurgia,* ele recuperou sua fama perdida e muito mais. Tornou-se um homem rico.

Em maio de 1538, no auge de seu segundo período de glória, ele retornou à Áustria para ver seu pai e descobriu que ele havia morrido 4 anos antes. Em 1541, Paracelso morreu aos 48 anos em circunstâncias misteriosas.

No entanto, suspeitamos que a alquimia era muito mais do que isso. Nos textos alquímicos, geralmente há uma referência permanente: "Os Filhos da Ciência". Muitos se perguntaram o que os filósofos antigos queriam dizer quando falavam deles. Para quem os alquimistas escrevem? Essas perguntas são difíceis de responder. Eles não escreveram para si mesmos, para se gabar de terem alcançado o Dom Precioso de Deus, nem para os comuns mortais, que eram incapazes de perceber a realidade expressa em suas linhas. Bons textos, muito trabalho, um objetivo: Transmitir a verdadeira Ciência com Consciência, a Alquimia, para quem consegue compreendê-la.

Os textos são dirigidos apenas aos homens que atingiram o nível de consciência exigido pela Alquimia. Sua missão é apresentá-los à prática, e somente aqueles que passarem de nível terão a oportunidade de acessar o conhecimento e praticar com sucesso a verdadeira Arte da Alquimia.

O perfil do buscador de arte é o clássico, uma constante universal, independentemente do nível de escolaridade da pessoa. Os Trevisanos, Pontanos, Cyliani, e tantos outros, passaram por um duro calvário em buscar, em investigar, essa grande força de atração produzida pela Alquimia que os domina e os arrasta, fazendo-os lutar contra todas as adversidades, consumindo sua existência em busca de uma Ciência que finalmente se torne realidade em suas mãos, após anos de árdua e dolorosa pesquisa. Tenacidade, perseverança, intuição, fé, seriam os requisitos.

Muitos pesquisadores falham e falham porque não conseguem interpretar os textos corretamente. Outros morrem de ácidos, vapores de mercúrio, explosões ou incêndios em laboratórios, outros são assassinados por seus contemporâneos em busca do metal vil, e há aqueles que precisam ceder o benefício de suas descobertas a terceiros, como Cyliani, a quem seu patrão tentou assassinar, sobrevivendo por pouco.

De qualquer forma, o Opus Magnum deve passar por quatro etapas:

- nigredo, escurecimento ou melanose
- albedo, clareamento ou leucose
- citrinitos, amarelecimento ou xantose
- Rubedo: Vermelhidão, roxo ou Iose.

A origem dessas quatro fases data pelo menos do primeiro século. Zósimo de Panópolis escreveu que o conhecera através de Maria, a judia. Outros estágios de cor às vezes são mencionados, incluindo a cauda pavonis (cauda de pavão) em que uma variedade de cores aparecem.

Uma variedade de símbolos alquímicos são atribuídos ao Opus Magnum. Pássaros como o corvo, o cisne e a fênix poderiam ser usados para representar a progressão através das cores.

Mudanças de cor semelhantes poderiam ser observadas no laboratório, onde, por exemplo, o negrume da matéria em decomposição, queima ou fermentada estaria associada ao nigredo.

O "trabalho de escurecimento" é a operação mais difícil. Através delas, o homem se separa do mundo das aparências e se deixa imergir na natureza cósmica feminina, no poder total que deseja despertar e dominar. É também uma morte e uma descida ao inferno. Somos apresentados à alegoria de: "Um ser que se liberta da morte por uma agonia, na qual é submetido a uma vasta impressão de angústia, e este é o caminho mercurial". A obra de escurecimento, que prepara a Mercúrio a matéria sutil do mundo, apresenta-se como morte diante da ilusão cósmica, na qual as águas mercuriais estão, por assim dizer, "congeladas". O homem se retira de sua existência mundana; extrai sua força vital das sugestões de sono e agitação existencial. Ela se acumula dentro de si mesma como água calma em um lago de tristeza. Assim,

Mercúrio retorna ao seu estado de possibilidade indeterminada: este é o "retorno à MATÉRIA PRIMA". Através do discretio intellectualis, ele distingue a presença de forças sutis e arquétipos dentro do Universo. Ele descobre a Naturae Discretae, a verdadeira natureza das coisas, esse "fundamento interior latente" de que fala Geber e que pode ser chamado de "quantidade" da alma do mundo que cada coisa atribuiu a si mesma. Como resultado, ele percebe a natureza e seu corpo como uma troca cósmica sobre a qual a ilusão da individualidade não é mais projetada. A descoberta dessa troca é um casamento em que a feminilidade cósmica prevalece sobre a objetificação masculina. É uma dissolução libertadora que retira da força viril seus modos separativos de ação e conhecimento para banhar-se nas águas batismais da vida universal. No diagrama de centros sutis de Gichtel, Saturno deve se juntar à Lua e Júpiter deve se juntar a Mercúrio. Saturno é chumbo, concreção da mente de peso, vida no mundo caracterizada pela gravidade: será assim o símbolo de um certo modo de ver o mundo, aquela visão que fixa as aparências em sua opacidade e separação, e que mantém o homem em sua ilusão de estar acordado; quando ele é apenas um sonâmbulo possuído por um "sonho de chumbo". Gichtel esclarece essa perspectiva colocando o centro saturniano no cérebro e atribuindo a ele, seguindo Macróbio, a ratiocinatio. É por isso que Saturno deve ser "dissolvido" no centro lunar, que fica na região sagrada e representa a totalidade das energias vitais. E Júpiter, a vis agendi, a vontade de poder, que deve ser "dissolvida em Mercúrio", essa "imaginação" feminina que vê na natureza a cena de um sonho, talvez o sonho de Deus. Este casamento, no qual o masculino é dissolvido, tem sido frequentemente descrito como um nascimento reverso. Da mesma forma que o processo cosmogônico de geração da alma é "coagulado" na mente humana. Assim, no processo de regeneração, que pode ser "teogônico", a mente deve ser reabsorvida pela potencialidade da alma. O homem entra no ventre da mulher e se dissolve ali. Mas esse retorno à potencialidade começa com um retorno às trevas, uma descida ao inferno. O caos da "matéria" é obscuro na medida em que seu conteúdo não foi aberto: floresce espontaneamente na flor venenosa do mundo. O homem já se desfez do encanto enganador desta flor e deve incorporar em si a força que a fez florescer para tornar possível a sua conversão numa nova flor, desta vez pura e nobre, que acolherá de novo o fogo divino.

O alquimista desce assim às profundezas da "matéria", isto é, às profundezas da vida com o espaço e o tempo. Lá, ele desperta a "feminilidade mercurial interior" que está adormecida na raiz da sexualidade cósmica e, assim, a transforma em uma força de regeneração. No desejo que dá à luz os metais no ventre da terra e a criança no ventre da mãe, há um desejo de imortalidade. Mas, como desejo, é voltado para fora. A imortalidade é fragmentada ao longo do tempo; ela é objetivada na cadeia de gerações. O nascimento externo "sincopa", por assim dizer, o nascimento eterno, corta-o. Como diz Evola, "a heterogenia substitui a autogênese".

O alquimista se recusa a desviar-se de seu mistério: ele entra nele. Ele entende que "toma dentro de si" o desejo que em toda parte liga o enxofre ao mercúrio; obriga-o a desejar a Deus. "VISITA INTERIORA TERRAE RECTIFICANDO OCCULTUM LAPIDEM". Ao descrever a "descida ao inferno", resumida na palavra VITRIOL, a alquimia preservou símbolos muito antigos: fala de uma viagem noturna sob o mar, na qual o herói, muitas vezes comparado a Jonas, é engolido por um monstro. Mas a barriga do Leviatã se torna um útero: um ovo se forma ao redor do homem preso. Expulso pelo monstro, ele emerge do mar primordial como um bebê recém-nascido. Cada detalhe do simbolismo é carregado de significado: o mar, misturado com a noite, é a matéria escura, a umidade de mercúrio. O monstro é Ouroboros, o guardião da energia latente, a cobra que morde a própria cauda, análoga à serpente Kundalini na doutrina tântrica. Finalmente, o calor é o da paixão: a vitória do herói consistirá em dar-lhe um calor de "auto-incubação", um fervor de renovação. Então o mundo não é mais um túmulo, mas um útero, e o herói, fertilizando-se, torna-se o óvulo do qual renascerá gloriosamente.

No "trabalho de branqueamento", o alquimista emprega, elevando-as, as potencialidades da matéria, cuja força acaba de captar. Ele os descobre, não em seu estado de escuridão sensorial, mas em sua luminosidade sutil, na transparência de uma psique humano-cósmica e purificada, através da qual a luz do intelecto filtra cada vez mais. Enquanto o homem comum conhece os elementos apenas em seu aspecto "telúrico" (porque os conhece através de seus sentidos terrenos, que são eles mesmos feitos de terra), o alquimista percebe diretamente sua substância "alma", uma vez que os "espíritos" da terra, da água, do ar e do fogo lhe foram revelados, é então que ele entende o que é chamado de "linguagem dos pássaros". Ele então "retifica" essas mentes ambíguas, as reabsorve em seus arquétipos angelicais, as transforma em Deus. O alquimista, cuja alma é o locus dessa exaltação, vê a natureza por dentro, em sua imaculada concepção, por assim dizer. O paraíso ainda está na terra, mas o homem está longe dele até que seja regenerado. O simbolismo vegetal, frequentemente empregado pela alquimia, aparece neste ponto.

O trabalho de branqueamento corresponde ao surgimento da primavera: após o inverno escuro, todas as cores se manifestam em uma profusão de flores que se misturam, pouco a pouco, na oferta branca de um lilás. O simbolismo animal muda, enquanto o trabalho de escurecimento está ligado ao "voo do corvo", o trabalho de branqueamento começa com o desenrolar da "cauda de pavão" (PAVONIS) e termina com a visão paradisíaca de um cisne branco navegando em um mar prateado. Finalmente, no reino mineral, que é propriamente o do alquimista, o trabalho de branqueamento aparece como um "batismo", uma "lavagem" que purifica a substância metálica e a cristaliza em prata, "nossa prata viva", que é pura, sutil, luminosa, límpida como a água da fonte, transparente como o cristal e livre de defeitos. Assim, o trabalho de branqueamento deslocou o alquimista do preto – que, segundo a análise de F. Scuon, representa a "não-cor", a raiz de todas as "formas" coloridas – para o branco, que é a "supracor", a síntese de todas as formas e a promessa de transformação espiritual. Na representação de Gichtel, o albedo parece corresponder ao "casamento de Marte e Vênus", ou seja, a união do centro masculino, localizado imediatamente acima do coração (na região laríngea), com o centro feminino, localizado imediatamente abaixo (na região lombar). Aqui, Vênus é a deusa do amor divino, não do amor erótico; ela é a "Vênus celestial", afetuosamente receptiva à presença espiritual. Começa-se a ver o papel que esses conceitos devem ter desempenhado na veneração medieval da Senhora, especialmente se lembrarmos que a alquimia muitas vezes adotou o simbolismo da "busca" que sempre culmina em uma imagem "feminina" da alma do mundo: o Tosão de Ouro ou o cálice do Santo Graal. Vemos também como esses conceitos são o oposto de qualquer busca por prazer erótico, porque dizem respeito apenas à restauração, tanto na natureza quanto no homem, de um estado de submissão casta à vontade divina, de um estado de pureza virginal. A Alquimia vê o verdadeiro herói, "o filho do cosmos" e o "salvador do macrocosmo", como um homem capaz de oferecer uma alma virgem ao abraço do espírito transcendental.

Finalmente, o trabalho da vermelhidão entra em jogo. Na forma perfeita da alma oferecida como um cálice imaculado, na flor cristalina onde a matéria está em êxtase, o espírito de repente arde nas chamas. E aparece o ouro, a consciência solar da onipresença, a AUREA APPREHENSIO, que não encontra erro: o fogo referido nesses textos não é, ou não é apenas, um dos elementos. É o fogo que é "super omnia elementa" e age como "ineis", uma das línguas de fogo de Pentecostes. A xantidose, o aparecimento do ouro, que marca o início da "obra vermelha", implica uma intervenção direta de um poder transcendente, de um contato entre a vida cósmica e seu polo supraformal. Na ilustração de Gichtel, o dragão que cobria o coração e limitava seu brilho a tocar apenas os objetos de afirmação individual, renasce depois de "dissolvido", na pureza virginal da alma e se transfigura, através desse contato, com o divino: sua própria energia "retificada" dá origem ao ouro, à visão solar da unidade. Em seguida, celebra-se o "incesto filosófico" e a grande hieremia dos NUPTIAE CHYMICAE: o Sol se une à Lua, o enxofre "conserta" mercúrio; No homem, o Espírito restaura a vida e a torna fecunda. Esta é a reunião cerimonial do Rei Vermelho e da Princesa Branca. O rei é coroado de ouro, vestido de púrpura, e segura um lilás vermelho na mão. A rainha é coroada de prata e segura um lilás branco. Perto dela, uma águia branca levantou voo, símbolo de uma "sublimação" mercurial que deve ser fixada pela força agora benéfica do enxofre, simbolizada pelo Leão de Ouro caminhando perto do Rei.

A realização alquímica, de fato, é essencialmente uma "carne criadora", ligada à santificação da arte; não escapa do mundo, mas procura iluminá-lo: trata-se, na verdade, de uma "realização real", que exige "fidelidade à terra" e, após a ascensão extática da "obra de embranquecimento", a "descida" que faz do homem o SALVATOR MACROCOSMI.

O vaso em que o trabalho é feito deve permanecer "hermeticamente fechado", de modo que a parte sutil do composto, chamada de "anjo", não possa escapar, mas seja forçada a condensar novamente e descer, uma e outra vez, até que o resíduo seja transformado.

Dentro do corpo visível reside um corpo espiritual, que Boehme compara a um "óleo" que deve ser aceso para que se torne uma "vida de alegria, exaltada por todos".

A alquimia enfatizava, a longo prazo e acima de tudo, a virilidade heroica que a obra tinha a trazer. O alquimista é um "herói solar", que deve fazer do IOS, o veneno da vida, o elixir da longevidade, ele é o "senhor da serpente e da mãe", "ele amarra as mãos da virgem, transforma as águas torrenciais em pedra vivificante, subordina a natureza que se deleita em si mesma e a transforma em uma natureza capaz de se superar". Ao alcançar uma cosmogonia superior, confere à sexualidade cósmica a nobreza de um amor libertador: o amor do homem pela mulher que quer guiar à perfeição, do artesão pelos materiais cuja beleza secreta liberta; do Rei ao seu povo, a quem apoia na realização dos "pequenos mistérios", isto é, na transmutação, através de toda a actividade humana, da ordem cósmica para a liturgia. É por isso que seria melhor traduzir RUBEDO como "trabalhando no roxo" em vez de "trabalhando no vermelho". O roxo é o resultado da união da luz e da escuridão, união que marca a vitória da luz. O roxo é a cor verdadeira. É também, segundo Suhrawardi, a cor das asas do arcanjo que preside o destino da humanidade. Na concepção de Gichtel, o primeiro movimento em direção ao coração, que é percebido como uma purificação interior, é seguido por um movimento inverso de unificação externa. E desta vez, os centros masculinos absorvem os centros femininos. O Sol é projetado em Vênus e o transforma em Marte, penetrando na energia animal e transformando-a em guerra santa interior. Marte, por sua vez, fixa Mercúrio para extrair Júpiter dele; Júpiter é o Rei que dispensa a justiça sob a árvore da paz: o espírito penetra no sonho vegetal e transforma o pesadelo do mundo em sonho de Deus. Através de Júpiter, o Sol desce à força radical da água, da lua e do sexo, no meio da noite em que está envolvido, para que possa ser recebido pelas criaturas. A fecundidade transfigurada transmite apenas vida. Eventualmente, um Saturno regenerado surge. É daí que vem o Deus da Idade de Ouro: o chumbo se transforma em ouro, a consciência do alquimista penetra no sonho universal, tanto em pedras quanto em ossos, retornando ao ensinamento cabalístico sobre a LUZ, cujo corpo germinará novamente na "ressurreição da carne".

O alquimista alcança o sucesso santificando seu corpo, despertando-o do sono para a morte, despertando o Deus que dorme na pedra dos ossos. Esse é o segredo da cal todo-poderosa, do elemento titânico: é o corpo incorruptível, o único útil. Aquele que a encontrou, triunfa sobre a privação; isto é, na ausência de Deus. Como a apokatastis do peso, a transfiguração de Saturno é a transfiguração de um Titã: doravante, a presença silenciosa do alquimista é uma bênção para todos os seres, o rei secreto, o ser consciente central que conecta o céu e a terra e garante a boa ordem das coisas. UNUM EGO SUM ET MULTI IN ME: Ele é um morto que traz vida. Morto para si mesmo, torna-se alimento inesgotável. É nela que opera o mistério da "multiplicação" e do "aumento". É a 'panaceia', o 'elixir da vida', o ouro potável. Da pedra de Cristo com a qual ele se identifica, brota uma tintura vermelha e branca que conforta a alma e o corpo. Ele é a fênix cujas cinzas fazem brotar um grande bando de pássaros.

Aqui estão algumas das obras consagradas de natureza alquímica que geralmente são usadas para justificar esses passos: *A Mesa Esmeralda*, é o documento mais antigo que parece fornecer uma "receita". Outros incluem o *Mutus Liber, As Doze Chaves de* Basílio Valentino, *Os Emblemas* de Steffan Michelspacher e *As Doze Portas* de George Ripley.

Fulcanelli, por outro lado, no enigmático livro intitulado *"O Mistério das Catedrais"*, um verdadeiro prodígio da erudição e da compreensão, nos mostra como as catedrais góticas, além de templos, são livros de pedra nos quais o desenvolvimento completo da ciência alquímica é apresentado com sinceridade e detalhes. Esta obra é completada por *"As Mansões Filosóficas"*, onde inclui outros edifícios que cumprem a mesma função em benefício da posteridade.

"A impressão mais forte de nossa juventude – tínhamos então sete anos – da qual ainda temos uma lembrança viva, foi a emoção que a visão de uma catedral gótica provocou em nossas almas infantis. Imediatamente nos sentimos transportados, extasiados, cheios de admiração, incapazes de escapar da atração do maravilhoso, da magia do esplêndido, do imenso, do vertiginoso que emergiu dessa obra mais divina do que humana. Então a visão foi transformada; mas a impressão permanece. E se o hábito modificou o caráter vívido e patético do primeiro contato, nunca pudemos deixar de sentir uma espécie de deleite com esses belos livros ilustrados que ficam em nossa praça e espalham suas folhas gravadas na pedra em direção ao céu." Fulcanelli nos admite isso no primeiro dos livros citados.

De fato, a catedral pretende sobretudo impressionar, impressionar o peregrino, aquele visitante medieval, geralmente analfabeto, que se maravilha, extasiado, como se fosse uma criança, com o curso e o alcance prodigioso da pedra, com a majestade de suas proporções, com a cor de suas pinturas e rosáceas, pois é preciso lembrar que as paredes da catedral medieval foram todas pintadas. O estado de espírito do devoto estava, portanto, adequadamente disposto a "ler", em uma linguagem pictórica e icônica, que compreendesse perfeitamente a narrativa variada e completa dos mistérios contidos no edifício.

Em seguida, Fulcanelli continua: "A linguagem das pedras falada por esta nova arte", diz J. F. Colfs com grande precisão, "é ao mesmo tempo clara e sublime. Por isso, dirige-se tanto às almas dos mais humildes como aos mais cultos. Que linguagem patética é a pedra gótica! Uma linguagem tão patética, aliás, que as canções de um Orlando de Lasso ou de uma Palestrina, as obras para órgão de um Händel ou de um Frescobaldi, a orquestração de um Beethoven ou de um Cherubini, ou o que é ainda maior, o simples e severo canto gregoriano, só aumentam as emoções que a catedral produz em nós. Ai daqueles que não admiram a arquitetura gótica, ou pelo menos devemos ter pena deles como aqueles que são deserdados no coração!

"Santuário da Tradição, da Ciência e da Arte, a catedral gótica não deve ser considerada como uma obra dedicada exclusivamente à glória do cristianismo, mas sim como uma vasta concretização de ideias, tendências e crenças populares, como um todo perfeito ao qual podemos nos voltar sem medo quando buscamos conhecer o pensamento de nossos antepassados em todos os campos: religioso, secular, filosófico ou social.

E mais especificamente sobre a tradição que nos diz respeito, ele especifica: "... Nada é mais cativante, sobretudo, do que o simbolismo dos antigos alquimistas, habilmente capturados por modestos escultores medievais. A este respeito, a Notre-Dame de Paris é inquestionavelmente um dos exemplos mais perfeitos e, como disse Victor Hugo, "o mais completo compêndio de ciência hermética, do qual a igreja de Saint-Jacques-la-Boucherie era um hieróglifo completo".

Os alquimistas do século XIV reuniam-se ali todas as semanas, no dia de Saturno, ora sob o grande pórtico, ora na porta de São Marcelo, ora na pequena porta vermelha, tudo adornado com salamandras. Dionísio Zachaire nos conta que esse costume ainda existia no ano de 1539, aos domingos e feriados; e Noël du Fail declara que o grande encontro desses estudiosos ocorreu em Notre-Dame de Paris.

No entanto, a primeira grande surpresa que se encontra ao ler a obra é quando Fulcanelli define "arte gótica", pois sua etimologia não coincide em nada com a consagrada: "Para nós, a arte gótica nada mais é do que uma distorção ortográfica da palavra argótico, cuja homofonia é perfeita, de acordo com a lei fonética que rege todas as línguas e sem levar em conta a ortografia, isto é, os termos da Cabalá tradicional. A catedral é uma obra de arth gótico ou gíria. Hoje, os dicionários definem gírias como "uma linguagem particular de todos os indivíduos que têm interesse em comunicar seus pensamentos sem serem compreendidos por aqueles ao seu redor". É, portanto, uma Cabalá falada. Os Argotiers, ou seja, aqueles que usam esta língua, são descendentes herméticos dos Argonautas, que comandaram o navio Argos, e falavam a língua argótica enquanto navegavam para as margens afortunadas da Cólquida em busca do famoso Tosão de Ouro. Ainda hoje, diz-se do homem que é muito inteligente, mas também muito inteligente: sabe tudo, entende gírias. Todos os Iniciados falavam em gírias, assim como os trúhans da Corte dos Milagres – chefiada pelo poeta Villon – e os Frimasons, ou maçons da Idade Média, "hospedeiros de Deus", que construíram as obras-primas góticas que hoje admiramos. Eles também conheciam o caminho que levava ao Jardim das Hespérides...

É claro que hoje perdemos as chaves desse jargão e dessa tradição que, no passado, eram destilados de todo o corpo social, naquelas produções e trocas que circulavam essencialmente pela língua falada. É por isso que agora precisamos do olhar atento do iniciado oculto para examinar suas páginas. Fulcaneli é, sem dúvida, e, como tal, esclarece certos termos cujo significado mais profundo parece facilmente protegido e oculto: "Com raras exceções, o plano das igrejas góticas – catedrais, abadias ou igrejas colegiais – assume a forma de uma cruz latina colocada no chão. Agora a cruz é o hieróglifo alquímico do cadinho, que antigamente era chamado (em francês) creuset croix et croiset (segundo Ducange, no latim de decadence, crucibulum, cadinho, tinha como raiz, crux, crucis, cruz).

E prossegue aprofundando o símbolo: "De facto, é no cadinho que a matéria-prima, como o próprio Cristo, sofre a sua Paixão. É no cadinho que ela morre e depois ressuscita, purificada, espiritualizada, transformada. Por outro lado, o povo, fiel guardião das tradições orais, não expressa a prova terrena e humana por meio de parábolas religiosas e comparações herméticas? "Carregar a cruz, subir ao Calvário, passar pelo cadinho da existência, são discursos ordinários em que encontramos o mesmo significado sob o mesmo simbolismo."

A igreja cristã, a catedral gótica, é, portanto, o receptáculo, o reservatório, no qual o homem deve sofrer uma transmutação, uma transformação substancial, exposto ao fogo lento da necessidade. Sua alma de chumbo, após um processo de aquiescência e purgação, tornar-se-á uma alma do mais puro ouro e possuirá a pedra filosofal, o remédio para todos os males e a fonte de todo o bem.

"A cruz", continua Fulcanelli, "é um símbolo muito antigo, ainda usado em todas as religiões, entre todos os povos, e seria um erro considerá-la como um emblema especial do cristianismo, como o Abbé Ansault demonstrou plenamente. Pode-se até dizer que o plano dos grandes edifícios religiosos da Idade Média, com a adição de uma abside semicircular ou elíptica soldada ao coro, toma a forma do sinal hierático egípcio da cruz ansada, que se lê tornozeleira e designa a vida universal escondida nas coisas.

No chão desta cruz, este cadinho, que é a catedral gótica, estava representado o labirinto que muitos deles preservam: "Entre os mitos mais utilizados, vale a pena mencionar os labirintos, que foram traçados no chão, no ponto de intersecção da nave e do transepto. As igrejas de Sens, Reims, Auxerre, Saint-Quentin, Poitiers e Bayeux preservaram seus labirintos. Na igreja de Amiens havia uma grande laje no centro na qual havia sido embutida uma barra de ouro e um semicírculo dourado, representando o nascer do sol no horizonte. Mais tarde, o sol dourado foi substituído por um piso de cobre, que por sua vez desapareceu, para nunca mais ser substituído. Quanto ao labirinto de Chartres, vulgarmente chamado de *lieue* e desenhado no pavimento da nave, é composto por toda uma série de círculos concêntricos que se dobram uns nos outros com infinita variedade. No centro desta figura estava outrora a luta de Teseu contra o Minotauro. Esta é mais uma prova, então, da infiltração de temas pagãos na iconografia cristã e, consequentemente, de um óbvio significado mito-hermético.

Fulcanelli continua explicando o significado oculto do labirinto: "O labirinto das catedrais, ou labirinto de Salomão, é", nos diz Marcelino Berthelot, "uma figura cabalística encontrada no início de certos manuscritos alquímicos e que faz parte das tradições mágicas atribuídas ao nome de Salomão. É uma série de círculos concêntricos, interrompidos em certos pontos, de modo que formam um caminho chocante e inextricável. A imagem do labirinto apresenta-se assim como emblemática do conjunto da obra, com as suas duas maiores dificuldades: a do caminho que deve ser seguido para chegar ao centro – onde se dá a dura luta entre as duas naturezas – e a do outro caminho que o artista deve percorrer para sair dele. É aqui que você precisa da trilha da migalha de pão se você não quer se perder nas reviravoltas do trabalho e se ver incapaz de encontrar o caminho de volta.

A Obra é também uma transcrição da Vida, da qual o labirinto é também um símbolo poderoso. Toda alternativa que nos apresenta deve ser meditada com o maior cuidado, porque talvez ali, em uma delas, não saibamos em qual reside a verdadeira bifurcação, de um lado, a solução que nos leva à salvação e, de outro, a solução que nos leva à perdição, até a morte. De fato, todas as bifurcações, sendo concatenadas, são igualmente decisivas. O conhecimento é também um caminho complexo, um labirinto. É essencial fazer isso com cautela, porque uma escolha errada pode nos afastar do caminho da verdade, para nos levar pelo caminho do erro. O labirinto da abadia onde se passa a acção de "O Nome da Rosa", o soberbo romance de Umberto Eco, é mais do que eloquente a este respeito.

Fulcanelli fala então das diferentes fases da Obra, representadas pelas cores e pela quantidade de luz recebida pelas rosáceas, devido à orientação da planta da igreja cristã, todas com a abside voltada para sudeste, a fachada, a noroeste, e o transepto, que forma os braços da cruz, de nordeste para sudoeste. É uma orientação invariável, estabelecida de tal forma que os fiéis e os profanos, quando entram no templo vindos do ocidente e vão diretamente para o santuário, olham para o sol, para o leste, para a Palestina, berço do cristianismo. Eles saem das trevas e entram na luz. E continua: "Na Idade Média, a rosácea central chamava-se Rota, a roda. Ora, a roda é o hieróglifo alquímico do tempo necessário para o disparo da matéria filosófica e, consequentemente, do próprio disparo. O fogo constante e regular que o artista alimenta noite e dia durante esta operação é chamado, por isso, de fogo da roda. No entanto, além do calor necessário para liquefazer a pedra filosofal, é necessário um segundo agente, chamado *fogo secreto ou filosófico*. É este último fogo, excitado pelo calor vulgar, que gira a roda e provoca os vários fenômenos que o artista observa em seu frasco:

Vá por este caminho, não por outro, eu te aviso.

Olhe apenas para os trilhos da minha roda.
E para dar a coisa toda o mesmo calor,
Não subais e desçais ao céu e à terra.
Se você for muito alto, o céu vai queimar.
Se você for muito baixo, você destruirá a Terra.
Por outro lado, se você mantiver sua carreira no meio,
O avanço é constante e o caminho mais seguro.

A rosácea representa, assim, a ação do fogo e sua duração. É por isso que os decoradores medievais procuraram refletir, em suas rosáceas, os movimentos do material excitado pelo fogo elementar, como pode ser visto na fachada norte da Catedral de Chartres, nas rosáceas de Toul (Saint-Gengoult), Saint-Antoine de Compiégne, etc. Na arquitetura dos séculos XIV e XV, a preponderância do símbolo de fogo, que caracteriza claramente o último período da arte medieval, rendeu ao estilo deste período o nome de gótico Flamboyant.

Esse fogo secreto ou filosófico, que o calor vulgar, ou, em outras palavras, o fogo físico, é capaz de excitar, não pode ser outro senão o da paixão, o da fé. Nesse caso, o significado dos versículos seria uma exortação ao aprendiz a manter uma certa equanimidade na longa e árdua preparação da Obra. Os excessos são tão nocivos quanto o descuido e a negligência. No meio-termo, há saúde. O frasco deve receber um fogo espiritual razoável, equilibrado, longe de excessos, mas sempre constante. Se a Obra perdesse completamente esse calor, esse fogo secreto, seria arruinada para sempre. Talvez este seja o significado oculto do famoso quadrado mágico: SATOR, AREPO, TENET, OPERA, ROTAS.

Também vale a pena notar nesta passagem a não desprezível capacidade sugestiva do ambiente, o poder auto-hipnótico do ritual, desse fogo físico, por exemplo, capaz de estimular o fogo secreto, espiritual. Embrulhados nesses termos, recebemos um segredo precioso de natureza mágica.

"A pedra que os construtores rejeitaram tornou-se uma pedra angular", são as palavras de Jesus Cristo (Mateus 21:42). Fulcanelli insiste no símbolo dessa primeira pedra, ou pedra angular da Grande Obra Filosófica: "Mas, antes de ser talhada para servir de base para a obra de arte gótica, e também para a obra de arte filosófica, a imagem do diabo era muitas vezes dada à pedra bruta, impura, material e grosseira. Notre-Dame de Paris tinha um hieróglifo semelhante, que estava sob a galeria, no canto do recinto do coro. Era uma figura do diabo, que abria uma enorme boca, na qual os fiéis apagavam suas velas; de modo que o bloco esculpido apareceu manchado com cera e negro de fumo. O povo chamou essa imagem de *Maistre Pierre du Coignet*. Ora, essa figura, destinada a representar o material inicial da Obra, humanizada sob o aspecto de Lúcifer (portador da luz, a estrela da manhã), era o símbolo da nossa pedra angular, a pedra fundamental, a pedra fundamental.

A mensagem parece clara: o mal, a matéria, é a pedra angular de todo o edifício, o fulcro sobre o qual tudo repousa. Do confronto com o mal surge a iluminação e a redenção do homem, a Obra.

E para que não haja a menor dúvida sobre a verdadeira dedicação da catedral de Paris, ele nos coloca diante da figura que a encarna: "Passemos pela porta e comecemos o estudo da fachada com o grande pórtico, chamado pórtico central ou pórtico do Juízo. O pilar central, que separa a abertura da entrada em duas, oferece uma série de representações alegóricas da ciência medieval. De frente para a praça – e um lugar de honra – está a alquimia, representada por uma mulher cuja testa toca as nuvens. Sentada em um trono, ela segura um cetro na mão esquerda – símbolo de soberania – enquanto segura dois livros na mão direita, um fechado (esoterismo) e outro aberto (exoterismo). Entre os joelhos e apoiando-se no peito, ergue-se a escada de nove degraus (scala philosophorum), um hieróglifo da paciência que seus fiéis devem ter durante as nove operações sucessivas da obra hermética. "A paciência é a escada dos filósofos", diz-nos Valois, "e a humildade é a porta para o seu jardim; porque Deus terá misericórdia de todos os que perseverarem sem orgulho e inveja. Este é o título do capítulo dedicado à filosofia desse *mutus Liber*, que é o templo gótico, o frontispício desta Bíblia escondida com suas enormes folhas de pedra, a impressão, o selo da Grande Obra Cristã. Não poderia estar melhor localizado do que na soleira da entrada principal.

Mas este é apenas o título do capítulo, continua o texto: "Os temas herméticos do estilobato são desenvolvidos em duas fileiras sobrepostas, à direita e à esquerda do pórtico. A linha inferior contém doze medalhões e a linha superior contém doze figuras. Estes últimos retratam figuras sentadas em plintos decorados com estrias, às vezes de perfil, às vezes côncavas, às vezes angulares, e colocadas nas intercolunas de arcadas de trevo. Todos eles têm discos com vários emblemas, mas sempre remetendo ao trabalho alquímico. Se começarmos pela esquerda da linha superior, o primeiro baixo-relevo nos mostra a imagem do corvo, símbolo da cor preta. A mulher que o tem no colo simboliza a putrefação... O hieróglifo do corvo expressa o cozimento do Rebis do Filósofo, a cor preta, a primeira aparição de decomposição após a mistura perfeita dos materiais do Ovo. É, segundo os filósofos, o sinal seguro do sucesso futuro, o sinal óbvio da preparação exata do composto. O corvo é, de certa forma, o selo canônico da Obra.

É o trabalho de escurecimento que vimos antes, que marca a confirmação do difícil e laborioso início da Obra. A descida ao inferno começa para o devoto, o novo Orfeu.

O segundo baixo-relevo nos mostra a efígie do Mercúrio do filósofo: uma serpente enrolada em torno de uma haste de ouro. A cobra indica a natureza incisiva e dissolvida de Mercúrio, que absorve gulosamente o enxofre metálico e o segura tão firmemente que a coesão não pode mais ser superada.

Em seguida, vem uma mulher, seus longos cabelos ondulando como chamas. Ela personifica a calcinação e pressiona o disco da salamandra no peito, "que vive no fogo e se alimenta do fogo". Este fabuloso lagarto nada mais designa do que o sal central, incombustível e fixo, que preserva sua natureza mesmo nas cinzas de metais calcinados, e que os antigos chamavam de semente metálica. Na violência da ação ardente, as partes combustíveis dos corpos são destruídas; Apenas as partes puras e inalteráveis resistem e, embora muito fixas, podem ser extraídas por lixiviação.

E agora, um importante esclarecimento de Fulcanelli, que nos leva mais uma vez a pensar que toda a química da alquimia pode ser apenas um símbolo, ou uma metáfora, ou melhor, uma alegoria ou uma metáfora contínua: "Nossos mestres na arte, no entanto, tomam muito cuidado para chamar a atenção do leitor para a diferença fundamental entre calcinação vulgar, assim como é feito nos laboratórios químicos, e o praticado pelo Iniciado no gabinete dos filósofos. Não é realizado por meio de um fogo comum, não precisa do auxílio do reverberador, mas precisa do auxílio de um agente oculto, *um fogo secreto*, que, para se ter uma ideia de sua forma, se assemelha mais à água do que à chama. Este fogo, ou água ardente, é a centelha vital comunicada pelo Criador à matéria inerte; é o espírito fechado nas coisas, o raio ardente e imperecível, enterrado nas profundezas da substância escura, sem forma, gelada. Aqui tocamos no mais alto segredo da Obra, e ficaríamos felizes em cortar esse nó górdio em favor dos aspirantes à nossa Ciência, lembrando, infelizmente, que fomos retidos por essa mesma dificuldade por mais de vinte anos, se nos fosse permitido profanar um mistério cuja revelação depende do Pai do Iluminismo. Qualquer que seja o arrependimento que possamos ter, só podemos apontar o obstáculo e aconselhar, com os mais eminentes filósofos, a leitura atenta de Artéfio, Pontano e da pequena obra intitulada *Epistle De Igne Philosophorum*. Aqui você encontrará informações valiosas sobre a natureza e as características deste fogo aquoso ou água ígnea.

Note que o Pai da Iluminação pode ser ninguém menos que Lúcifer.

"No sétimo baixo-relevo desta série – o primeiro à direita – observamos a seção longitudinal do athanor, e o aparato interno destinado a conter o ovo filosófico. O personagem tem uma pedra na mão direita. No círculo seguinte, vemos a imagem de um hipogrifo. O monstro mitológico, que tem a cabeça e o peito de uma águia e tira o resto de seu corpo do leão, inicia o investigador nas qualidades contrárias que devem necessariamente ser agrupadas na matéria filosófica. Encontramos neste quadro o hieróglifo da primeira conjunção, que aparece apenas gradualmente, à medida que o árduo e tedioso trabalho, que os filósofos chamavam de suas águias, continua. A série de operações que, juntas, resultam na união íntima de enxofre e mercúrio também é chamada de sublimação. Através da reiteração das águias ou sublimações filosóficas, o mercúrio exaltado é despojado de suas partes grosseiras e terrenas, de sua umidade supérflua, e se apodera de uma parte do corpo fixo, que dissolve, absorve e assimila. Fazer a águia voar significa, de acordo com a expressão hermética, trazer a luz para fora do túmulo e de volta à superfície, que é a natureza de toda a verdadeira sublimação. É o que nos ensina a fábula de Teseu e Ariadne. Neste caso, Teseu é a luz organizada e manifesta que separa de Ariadne, a aranha que está no centro de sua teia, a pedrinha, a concha vazia, o casulo do bicho-da-seda, os restos da borboleta (Psique). "Saiba, meu irmão", escreve Philalethes, "que a preparação exata das águias voadoras é o primeiro grau de perfeição, e que conhecê-la requer um gênio laborioso e habilidoso. Para isso, suamos e trabalhamos muito. Convençam-se, pois, de que vós, que acabais de começar, não tereis êxito na primeira operação sem um grande esforço... »

Finalmente, Fulcanelli, apoiado nos ensinamentos e escritos de seus antigos mestres, continuou a ler o monumental livro de pedra que é a catedral gótica, em particular Notre-Dame de Paris, naquele prodígio da erudição e da ciência iniciática que é *"O Mistério das Catedrais"*.

Aliás, Fulcanelli é um pseudônimo e o personagem real por trás dele está envolto em um mistério espesso, até porque os vestígios documentais que ele deixou para trás sugerem uma vida muito longa ou, em qualquer caso, uma vida que excede em muito o que é considerado uma existência de duração normal. Recentemente, um romancista, Henri Loevenbruck, afirma revelar-nos, através de uma obra frenética de ficção, *"O Mistério Fulcanelli"*, pertencente ao mais puro género de ficção policial, a verdadeira identidade deste alquimista do século XX.

No entanto, a ciência alquímica pode ser encontrada onde menos se espera, por exemplo, na literatura. Mesmo na literatura contemporânea. "*Cem Anos de Solidão*", a chamada Bíblia da América Latina, nos apresenta uma saga familiar, uma transcrição da Grande Obra Alquímica. É a história épica de uma família que luta, por cem anos, para emergir da escuridão do caos primitivo para a luz do dia; ascensão do aviltamento da culpa para a enteléquia da perfeição, estado em que o homem ainda não tinha visto a ameaçadora espada de fogo. Os nomes de seus membros são tão transparentes que é impossível evitar a alegoria. Não é em vão que estamos lidando com a linhagem da BUENDÍA, cujas características e propriedades luminosas implicam imediatamente todos os elementos que são incorporados, independentemente de sua origem e por mais envoltos em mistério que sejam, sem exceção, eles se tornam uma BUENDÍA e, portanto, são embarcados no mesmo navio que os leva à clareza. Outro traço hereditário que começa como propriedade de poucos, mas acaba atingindo a todos, inclusive a Úrsula, é a solidão. A solidão do adepto que não pode ser separado de seu athanor, e que, enquanto durar o trabalho, não pode distrair-se dele por um único momento. A solidão de quem dirige uma obra secreta ou de quem a conhece. A alquimia é um processo que envolve transmutação. Ela procede de duas substâncias misteriosas de signos opostos, a água mercurial, o princípio feminino, cuja identidade os iniciados zelosamente escondem, mas que eles afirmam encontrar em grande abundância na natureza, e o fogo frio ou luz negra que está em todas as coisas, e que é chamado de espírito universal, ou o Leão Verde masculino. O primeiro é geralmente representado como um triângulo com o vértice voltado para baixo e é como um copo, um vaso que forma um buraco negro, é o Santo Graal, é a Virgem que esmaga o dragão com o pé, a mulher vestida de sol "E vimos um grande sinal no céu, uma mulher vestida de sol. E a lua estava a seus pés, e em sua cabeça, havia uma coroa com doze estrelas, e ela estava grávida... E o dragão estava diante da mulher, para devorar seu filho quando nascesse." (Apocalipse 12:1-4) O outro é representado como um triângulo com o vértice voltado para cima e que penetra e cruza o anterior. Sobrepostos, conectados por fogo e água, formam a estrela ou selo de Davi, símbolo da luz, assim como a cruz. Ambos contêm um núcleo do qual emergem vários raios. A tradição alquímica dita que a fase final deste processo termina com a obtenção do ouro. Mas há quem pense que esse ouro não é o ouro vulgar, mas simboliza a Grande Obra, o que implica a transformação de quem o faz. Agora, antes que a união dos princípios masculino e feminino possa ocorrer, o dragão deve ser morto, o que representa a mentira, a imaginação à deriva que leva à perversidade e à maldade. Este dragão às vezes é morto pelo cavaleiro, o leão verde, ou mesmo o leão vermelho, seja ele chamado de São Miguel Arcanjo, São Jorge, ou um dos campeões medievais que lutam contra o dragão para se casar com a princesa. Este dragão está dentro de si mesmo, mas se eles não o matarem, eles não alcançarão a pureza necessária para se unir à futura rainha, a Exaltada. Em outros momentos, ele será esmagado pela própria moça com o pé.

Em *Cem Anos de Solidão*, as duas maneiras de matar o dragão aparecem. O primeiro deles é realizado com o procedimento clássico da lança e o São Jorge dos *Cem Anos de Solidão* é José Arcadio Buendía, assim como o dragão se chama Prudêncio Aguilar, cuja garganta é perfurada pelo campeão com a arma. O segundo caminho é realizado por Remedios la Bella e o dragão que ela derrota inúmeras vezes é o dragão do desejo sexual irremediável, e não do amor, porque nisso ela é uma verdadeira Buendía, um desejo que, sem querer, com a mais irrepreensível inocência, ela desperta. Todos aqueles que se aproximam dela com más intenções, morrem como moscas. No final, depois de uma longa série de devastações, como a água ígnea que representa, como a Virgem que nunca deixou de ser, evapora e sobe ao céu em corpo e alma.

Assim, o dragão de "Cem Anos de Solidão", *como o dragão* bíblico, fica atordoado e permanece de mãos vazias.

Aurum (ouro) é da mesma raiz do amanhecer e aura (a brisa, mas também a luz do dia) e o halo. O sol da manhã, quando começa a nascer acima do horizonte, é vermelho como ouro e se parece muito com a hóstia radiante que o sacerdote levanta quando celebra o sacramento da Eucaristia, que consiste apenas em comer o corpo de Cristo radiante de luz. "Eu sou a luz deste mundo, e aquele que me segue não andará nas trevas, mas possuirá a luz da vida" (João 8:12). Os homens de Buendía são seres luminosos que geram outros seres luminosos em copos resistentes e opacos. Mas nem todos têm o mesmo tipo de luz. Há aqueles que são Leões Verdes e há aqueles que são Leões Vermelhos. Os Leões Verdes são os Arcadianos Joseph e os Leões Vermelhos são os Aurelianos. O Leão Verde é o primeiro a se unir à água mercurial, por isso é composto por uma água da natureza e uma dupla propriedade, água ígnea e fogo aquoso. Os alquimistas parecem concordar que o metal que contém a luz mais negra ou espírito universal é o ferro, basta golpeá-lo com uma pedra para que faíscas saiam dele, que são a manifestação dessa luz negra. O ferro é o metal mais forte, o metal de Marte. Os José Arcadios são todos robustos e fortes, praticamente gigantes, dotados de prodigioso poder sexual. A linhagem da família Buendía continua com os Arcádios. No entanto, o Leão Verde logo desaparece para dar lugar ao Leão Vermelho. De uma forma ou de outra, o Leão Verde anuncia o Leão Vermelho, carrega-o nos ombros enquanto São Cristóvão, outro gigante, carrega o menino Jesus na lenda esotérica. O Leão Verde é São João Batista: "Eu te batizo na água, mas há outro mais forte do que eu, a quem não sou digno de amarrar a alça de suas sandálias. Ele vos batizará com o Espírito Santo e fogo. Ele segura o forcado na mão para sacudir a eira e armazenar o trigo em seu celeiro, enquanto a palha ele queimará com um fogo inextinguível."

"O sangue fixo do Leão Vermelho", diz Basílio Valentín, "é feito do sangue volátil do Leão Verde (os José Arcadios desaparecem sem deixar vestígios, reparem nas sessenta e cinco voltas mundiais de José Arcádio), porque os dois são da mesma natureza" (família, a operação alquímica é incestuosa e deve ser repetida três vezes). O Leão Verde também é o Rei Marcos, na fábula oculta de Tristão *e Isolda*, que deve se afastar para dar lugar ao Leão Vermelho, seu sobrinho, Tristão. E não seria improvável que García Márquez levasse em conta essa lenda arturiana na criação do personagem do aureliano, triste e solitário, sem exceção. O Arcadiano José mendigou tanto José Arcadianos quanto Aurelianos. A Obra, no entanto, a Grande Obra é realizada pelos Aurelianos, porque eles são a pedra filosofal, o ouro dos filósofos. Os José Arcadios são seres bastante primitivos que, embora não sejam de todo desprovidos de luz, não compreendem o desenrolar da Obra e tendem a cometer grandes erros, vítimas desse tipo de inteligência pré-iluminada, mas que peca um pouco pelo racionalismo, diferente do dos Aurelianos, que é místico, intuitivo. Arcádia, no Peloponeso, era percebida como uma região feliz, mas com uma felicidade que emanava da simplicidade rústica. "Arcades ambo", uma expressão virgiliana originalmente aplicada a homens com uma aptidão excepcional para a música e poesia bucólica, é agora frequentemente usada em um tom irônico e um tanto pejorativo. O primeiro José Arcadio tentará a mítica transmutação alquímica, talvez pensando que poderia multiplicar a massa do ouro obtida com o derretimento dos doubloons de sua esposa e a única coisa que conseguiu, após uma longa série de desastres, foi finalmente devolver a massa inicial de ouro à desesperada Úrsula. José Arcádio parece entender tudo de trás para frente, ou com uma lógica pessoal que o leva diretamente ao sinistro. E isto embora tenha à sua disposição o mais fabuloso dos iniciadores, Melquíades, que não é outro senão o bíblico Melquisedeque, rei de Jerusalém, de quem o próprio Davi diz: "Jeová jurou e não se arrependerá: serás sacerdote para sempre, segundo a ordem de Melquisedeque" (Salmo 110). Mas isso é considerado uma profecia messiânica, isto é, destinada aos aurelianos, e não ao José Arcadiano. Os aurelianos, por outro lado, são outra questão, são dotados de poderes taumaturgicos, assim como a pedra filosofal que representam. Os dezessete aurélios serão todos marcados com o sinal indelével da cruz, que é o sinal da luz. O coronel Aureliano Buendía, quando criança, revirava as cadeiras apenas olhando-as, e aquela luz imperiosa em seus olhos não se perdia, nem mesmo na decrepitude que anunciava sua morte. Os aurelianos realizaram as ações decisivas, sendo o primeiro aureliano aquele que exterminou os tigres da região. O coronel Aureliano Buendía realizou a Obra, a Grande Obra, durante vinte anos, liderou uma guerra civil e encarnou um ideal coletivo, embora seja duvidoso que o tenha compartilhado; Úrsula, velha e cega, mas dotada de uma perspicácia tensa por uma certa clarividência interior (luz negra?) questiona-a. No entanto, a monstruosa indignação cometida por um capanga da companhia de bananas provoca, na alma já senil do coronel, uma fabulosa combustão de sentimentos profundamente humanos. De qualquer forma, ele estava equipado com um nimbus luminoso que o protegeu por toda a vida dos perigos mais dolorosos e lhe deu a aura histórica de um santo secular. E como não mencionar o óbvio simbolismo do peixinho que ele fez sem o menor desejo de lucro? Fazer para desfazer, vender para substituir apenas a matéria-prima com a qual recomeçar o trabalho. A recompensa do trabalho, na realização do próprio trabalho.

VII. A MAGIA.

Eliphas Levi, um dos mais conhecidos especialistas em magia no século XIX e próprio mágico, em seu livro *História da Magia*, a define como a arte de produzir efeitos sem causas.

Em seguida, recorda-nos que a Igreja Católica, tendo desqualificado os oráculos e conjuradores do paganismo, venera ela mesma os magos que vieram do Oriente, guiados por uma estrela, para adorar o Salvador do mundo que acabara de nascer. Além disso, a tradição dá a esses magos o título de reis, uma vez que a iniciação na magia constitui a verdadeira realeza, razão pela qual a arte dos magos é chamada por todos os adeptos de arte real, ou o reino sagrado, sanctum regnum.

A estrela que os conduz é a mesma estrela ardente que se encontra em todas as iniciações, e que é para todos os alquimistas o signo da quintessência, o grande arcano ou pentagrama sagrado. Um sinal, este último, que tem muito a ver com a Luz, que ele quer representar de certa forma.

Além disso, este pentagrama sagrado, ou pentáculo, também conhecido como proporção áurea, guarda o segredo das proporções universais. A enciclopédia matemática *Socram Ophisis* (1926) descreve-o da seguinte forma:

"Os gregos antigos a conheciam simplesmente como uma seção.

Outros nomes que lhe foram dados ao longo da história são a proporção divina, a proporção áurea, a proporção áurea...

É aquela que faz com que duas partes de um segmento mantenham a mesma proporção entre si que a maior parte e o segmento total.

Seu resultado é um número irracional (1.618...). Ele é frequentemente representado pela letra grega phi *Φ,ϕ* que é a inicial de Fídias (�ειδιας) escultor grego cujas obras representam a beleza ideal e são uma das maiores realizações estéticas do período clássico.

Essa proporção é considerada de grande beleza e perfeição matemática. Da mesma forma, beleza e perfeição são atribuídas a tudo o que mantém essa proporção em sua composição interna. Acredita-se que tenha sido usado extensivamente na arte: no Partenon, na Grande Pirâmide de Gizé, nas obras de Leonardo da Vinci, Michelangelo, Beethoven, Mozart... A proporção áurea também foi identificada em toda a natureza: nas espirais das conchas de muitos animais, nas pétalas das flores, nas folhas nos caules, na proporção da espessura dos galhos das árvores... Da mesma forma, em seres humanos: relação entre a altura total e o umbigo, o quadril e o joelho, a relação entre o comprimento do braço e o comprimento do cotovelo, etc.

Cada cruzamento de linhas no pentáculo define um segmento que é a proporção áurea do próximo maior. Seguindo a notação no diagrama: $\phi = d/c = c/b = b/a = 1{,}618...$

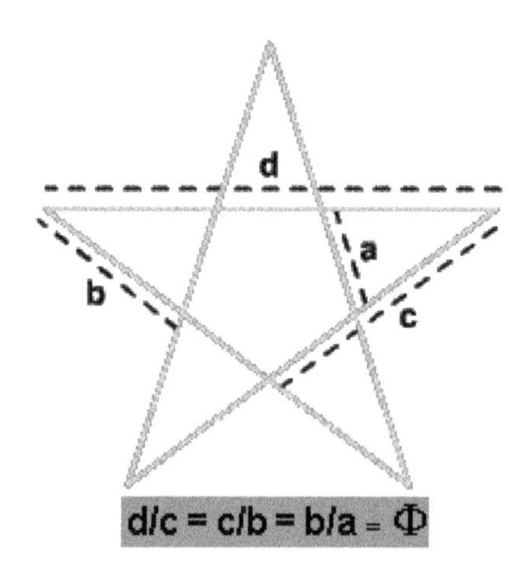

Como se vê, o pentáculo mostra de forma admirável a proporção áurea e, portanto, para os pitagóricos, os segredos divinos da construção do universo.

A Bíblia nos fala sobre as maravilhas de Moisés e dos profetas. Os do Filho do Homem, que vivia entre nós, não como Deus, mas como homem, e como tal aceitou a morte para nos mostrar o caminho da ressurreição, para nós humanos e, portanto, mortais, mas também, como homem, realizou milagres e nos disse: "a fé move montanhas". Ele também nos disse: "Peça e será dado a você".

Uma criança não pergunta ao pai o que ele precisa? Pois o próprio Filho de Deus suplicou ao Pai: "Tira de mim este cálice, se for possível". Se possível... Quando não é assim, não temos escolha a não ser aceitá-la, beber-la até a borra, porque é a nossa provação, aquela que devemos vencer, purgação e purificação pelo fogo. Mas Jesus Cristo primeiro pede: "Tira este cálice de mim, se for possível". Não há razão para desejar sua amargura por princípio. Haveria algo de doentio nisso.

Quando seu povo estava faminto no deserto, Moisés pediu comida e recebeu maná. Para saciar a sede, ele golpeou a rocha com sua vara e a água jorrou.

Ao conformar-se às regras da força eterna, o homem pode assimilar o poder criativo e tornar-se ele mesmo criador e preservador, como ele. Tudo o que a natureza tornou inferior ao homem está sujeito a ele. Assim, a duração e mesmo a perpetuidade da vida, a atmosfera e suas tempestades, a terra e suas veias metálicas, a luz e suas estupendas miragens, a noite e seus sonhos, a morte e seus fantasmas, tudo obedece ao cetro real dos Magos, ao bastão pastoral de Jacó e à vara reluzente de Moisés.

A única coisa importante é que a alma se materialize. Para alguns, o caminho é feito de cardos e espinhos, é sofrimento. Para outros, é contemplação sem distrações desnecessárias, conhecimento. Para cada doença, há cura. Hermes já dizia que Atum não criou o mundo definitivamente, mas que cabe ao homem desempenhar seu papel em uma criação que está constantemente sendo feita. E a alguns homens deu a vara das maravilhas.

Como isso é possível? Eliphas Levi nos assegura que existe um agente misto, um agente natural e divino, um agente corpóreo e espiritual, um mediador plástico universal, um receptáculo comum das vibrações do movimento e das imagens da forma, um fluido e uma força que poderíamos de alguma forma chamar de imaginação da natureza. Por essa força, todos os sistemas nervosos se comunicam secretamente. É daí que vem a simpatia ou a antipatia. É daí que vêm os sonhos, os chamados fenômenos de segunda vista ou visão extra natural. Este agente universal das obras da natureza é o od dos hebreus e do Chevalier de Richembach, é a luz astral dos Martinistas. A existência e o uso dessa força constituem o grande arcano da magia prática. É a verdadeira serpente edênica que transmitiu a Eva as seduções do Anjo caído. A luz astral magnetiza, aquece, esclarece, atrai e repele, vivifica, destrói, coagula, separa, quebra e recompõe todas as coisas sob o impulso de vontades poderosas. Deus o criou no primeiro dia, quando disse FIAT LUX!

Por sua própria natureza, é uma força cega, embora dirigida por egrégoras, ou espíritos de energia e ação, cuja função é ser condutor das almas. Isso explica por que ela tem sido usada tanto por aqueles que buscam o bem quanto por aqueles que desejam o mal, tanto os santos quanto os maus, os egoístas e os altruístas. Houve milagres divinos e milagres diabólicos. Deve-se partir do princípio de que se trata de um instrumento que pode ser utilizado por ambas as partes.

Originalmente, os magos do faraó realizavam as mesmas maravilhas que Moisés. Então, o utensílio que eles usavam era o mesmo, só que a inspiração era diferente.

Quando o cérebro está congestionado ou sobrecarregado com luz astral, ocorre um fenômeno peculiar. Os olhos, em vez de olharem para fora, olham para dentro; O mundo exterior torna-se uma noite escura, enquanto um brilho fantástico brilha no mundo dos sonhos. A alma percebe então, por meio de imagens, o reflexo de suas impressões e pensamentos ocultos. Ou seja, a analogia entre tal ideia e tal forma atrai para a luz astral o reflexo arquetípico representativo dessa forma, uma vez que a essência da luz viva deve ser configurativa, pois é a imaginação universal, da qual cada um de nós se apropria de uma parte maior ou menor de acordo com nosso grau de sensibilidade e memória. É a fonte de todas as aparições, de todas as visões extraordinárias e de todos os fenômenos intuitivos que são peculiares à loucura ou ao êxtase. Às vezes, o sono se sobrepõe à vida real e mergulha a razão em um delírio incurável. Esse estado de alucinação tem seus graus, todas as paixões são intoxicação, todos os entusiasmos são loucuras relativas e graduadas.

Saber usar essa força e não se deixar invadir e dominar por ela, pisando na cabeça da serpente, isso nos ensina a magia da luz.

A magia prática é a única chave que se abre à vontade humana, sempre limitada, mas também sempre progressiva, o templo oculto da natureza.

É o que nos diz Eliphas Levi, em substância, no início de seu livro *História da Magia,* ainda que envolto em uma quantidade considerável de palha, como fazem todos os ocultistas, para que ele não chegue ao objetivo tão facilmente.

Então aqui está o conhecimento básico que afeta a prática mágica de todos os tempos. É por isso que se pode dizer que a magia foi a primeira e será a última das religiões do mundo; pois, em seus textos e em sua liturgia, o uso dessa técnica é descrito e ilustrado, embora muitas vezes seja velado por símbolos; portanto, todos conhecem e utilizam essa matéria-prima que é a Luz Astral.

Agora é hora de estudar o método pelo qual cada uma das diferentes culturas usou esse elemento básico. O que, por outro lado, teve de ser explicado de forma secreta, para conseguir o difícil equilíbrio de garantir que não se perdesse, mas também que não entrasse no domínio público, para evitar que alguém o utilizasse indevidamente.

Então, vamos voltar ao funcionamento do tempo e ver como o assunto foi tratado no passado.

Os assírios e babilônios consideravam dois tipos de deuses: os Auras e os Daivas. Os primeiros possuíam um caráter benéfico, enquanto os segundos eram maus, por isso eram comparados a demônios. Ora, os poderes do bem e os poderes do mal possuíam uma energia igual, da qual procedia o equilíbrio da natureza.

Isso pressupõe, como já mencionamos, a existência de um instrumento à disposição de ambas as partes. Digamos, uma espécie de martelo, que é tão bom para matar quanto para construir.

Foram os assírios que inventaram o zodíaco, com seus 12 signos e os 360 graus em que dividiam o círculo. Eles também inventaram um dia semanal de descanso, a semana de 7 dias, os 12 meses do ano e a hora de 60 minutos. Eles também desenvolveram muito a matemática, com base em sua necessidade de aplicá-la à astrologia.

Além disso, foram eles que cunharam a palavra magia e magos, aplicada aos seus sumos sacerdotes e que equivalia à expressão homem iluminado, homem sábio, e cuja arte era chamada de magia. Na Bíblia, eles são muitas vezes referidos como tribo.

Os magos eram conhecidos por sua adoração ao fogo e tinham a reputação de serem capazes de controlá-lo e dirigi-lo. Muito provavelmente, não era apenas o fogo físico, mas também o fogo secreto, espiritual, que, como já vimos, "excitava" o primeiro. Eliphas Levi afirma que eles conseguiram desvendar o mistério da eletricidade e que conseguiram construir dispositivos que podem ser comparados a uma bateria. De fato, artefatos desse tipo, que datam desse período, foram descobertos recentemente em Bagdá. Quando os cientistas os avistaram, eles os encheram com uma solução alcalina e foram capazes de gerar eletricidade.

A maior figura da magia naquela época era Zaratustra. Ele parece ter vivido entre os séculos VII e VI a.C. Zaratustra proclamou que havia um Deus, da linhagem de Auras, a quem chamou de Aura Mazda, que significa Deus Sábio. Zaratustra foi seu profeta na terra. Do outro lado, porém, Zaratustra colocou Ahriman, o representante do mal. Duas forças equivalentes estavam, portanto, em constante combate, o que criava um equilíbrio no universo. Era, portanto, uma religião dualista, já que os dois deuses tinham aproximadamente o mesmo poder. Os ensinamentos de Zaratustra estão registrados em um livro chamado Avesta.

Eliphas Levi argumenta que os dogmas de Zoroastro são os mesmos da cabala pura e que suas ideias sobre a divindade são idênticas às dos Padres da Igreja. O que chamamos de três pessoas divinas, Zoroastro chama de três profundidades. A primeira ou a profundidade paterna é a fonte de toda a fé; a segunda, a do Verbo, é a fonte da verdade; A terceira é a ação criativa e a fonte do amor.

Tais eram os dogmas dos Magos, mas eles também possuíam segredos que os tornavam senhores dos poderes escondidos na natureza. Esses segredos, que poderiam ser descritos como pirotecnia transcendental, estavam ligados à ciência profunda e ao domínio do fogo.

Todos os símbolos assírios estão relacionados a essa ciência do fogo, que era o grande arcano dos Magos. Em toda a sua literatura encontramos a figura do leão, que é o fogo celeste. As cobras são as correntes elétricas e magnéticas da Terra. É a este grande segredo dos Magos que devem ser anexadas todas as maravilhas da magia hermética, das quais as tradições dizem, ainda hoje, que o segredo da grande obra consiste no domínio do fogo.

O leão é, naturalmente, o nosso fogo espiritual, que pode ser aceso e agitado; e as serpentes, essa luz astral que envolve a terra, que a circunda e a permeia.

Eliphas Levi traçou as marcas dos oráculos de Zoroastro nos livros dos platônicos, na teurgia de Proclo, nos comentários sobre Parmênides, nos comentários de Hérnias sobre Fedro, nas notas de Olímpio sobre o Filébus e o Fédon. Eis as conclusões que ele tira de tudo isso:

A natureza nos ensina que existem demônios incorpóreos, que são os germes do mal que abundam na matéria, e que podem ser transformados em bem para o bem comum.

O fogo, sempre agitado e movido na atmosfera, é passível de assumir uma configuração semelhante à dos corpos. Além disso, afirma a existência de um incêndio cheio de imagens e ecos. Chamemos esse fogo de luz superabundante que brilha, que fala, que se enrola. É o corcel brilhante da luz, que deve ser domado e subjugado pelo adepto.

Todos estes emblemas estão unidos na figura do Leão. Ele acrescenta: "Quando as hordas desses fantasmas passarem, então vocês verão o fogo incorpóreo brilhando, aquele fogo sagrado que as flechas perfuram sem feri-lo. Ouça o que eles têm a dizer. "

Nesses textos vemos, em primeiro lugar, a luz astral perfeitamente descrita e seu poder de refletir a palavra e fazer ressoar a voz. Da mesma forma, na figura do adepto que deve domar o corcel de luz, encontramos a vontade exercida do mago.

Dessa revelação do mundo antigo, segue-se também que o êxtase lúcido é uma aplicação voluntária e imediata da alma do fogo universal, daquela luz cheia de imagens que brilha, fala e serpenteia em torno de todos os objetos e globos do universo. Uma operação que é realizada pela persistência de uma vontade fortalecida por uma série de provações. É aqui que começa a iniciação mágica.

O adepto, que alcançou a leitura imediata na luz, torna-se um visionário ou profeta. Tendo colocado sua poderosa vontade no esforço de se comunicar com essa luz, ele aprende a direcioná-la como alguém dirige a ponta de uma flecha e envia problemas ou paz às almas como deseja, ele se comunica à distância com os outros adeptos e, finalmente, ele toma posse dessa força representada pelo Leão celestial. Isto é entendido pelas grandes figuras assírias que seguram os leões mansos sob seus braços. Esta é a luz astral representada pelas gigantescas esfinges, dotadas de corpos de leões e cabeças de mágicos. A luz astral, convertida em instrumento de poder mágico, é a espada dourada de Mitra que imola o touro sagrado. É a flecha de Febo que perfura a serpente Python.

A religião dos antigos egípcios estava inextricavelmente ligada à magia. Uma das características mais fortes da magia egípcia e de sua religião era o uso de palavras de poder. Os antigos egípcios acreditavam que tudo, incluindo homens e deuses, tem seu verdadeiro nome, um nome secreto e oculto, e que se um mago vier a conhecer esse nome, ele pode controlar a entidade que o carrega, seja um homem, uma coisa ou um deus.

O egiptólogo E.W. Budge diz sobre o poder dos nomes no antigo Egito: "Acreditava-se que, se um homem soubesse o nome de um deus ou demônio e se dirigisse a ele por esse nome, tal deus ou demônio era obrigado a responder e conceder o que lhe fosse pedido; e a posse desse conhecimento do nome permitia, por exemplo, que um vizinho fizesse o bem ou o mal a determinada pessoa.

Os egípcios tinham uma predileção particular por amuletos e talismãs. Eles eram tomados diariamente, por motivos de saúde, sorte, dinheiro, proteção, etc. Muitas curas na medicina egípcia foram realizadas, ou complementadas, com o uso de amuletos e feitiços. Alguns desses amuletos egípcios ainda estão em uso hoje. Como é o caso, por exemplo, do udjat, ou olho de Hórus, que se diz dar ao usuário o poder de ver coisas que permanecem invisíveis para os outros, o mesmo acontece com o "hankh", a cruz egípcia ou cruz ansata, que concede vida longa, e também o besouro escaravelho, símbolo da ressurreição, muito utilizado no processo de mumificação.

Os egípcios, assim como as nações vizinhas, faziam uma profusão de figuras de cera para feitiços e para objetos encantadores à distância. Eles geralmente atribuíam as ações realizadas durante o feitiço a uma divindade, dependendo do propósito da tarefa, de modo que, se a operação falhasse, ela não recairia sobre o próprio operador.

Havia também fórmulas especiais para a aquisição de sonhos, mesmo para prescrever certos tipos específicos de sonhos, pré-cognitivos ou não. Os egípcios, assim como outras civilizações antigas, davam especial importância aos sonhos, que eram considerados comunicação direta com os deuses.

Dada a crença generalizada na época de que o destino de um homem foi estabelecido antes de ele nascer, a astrologia, especialmente os horóscopos de nascimento, foi amplamente divulgada. Junto com isso, a crença em dias bons e ruins estava enraizada, de acordo com certas tabelas estabelecidas para todo o ano.

Um homem também era considerado composto de nove partes: um corpo físico, uma sombra, um duplo ou KA, uma alma ou BA, um coração ou IB, um espírito ou KHU, um poder, um nome e um corpo espiritual. O KA era o duplo do corpo físico e permaneceu perto da sepultura após a morte. Nos túmulos dos faraós, havia lugares especiais construídos para o KA do faraó, chamados de "Templos KA". O IB, ou coração, exerce grande influência após a morte, quando as ações terrenas do ser individual devem ser julgadas, pois estão registradas no coração do homem. No "*Livro dos Mortos*" encontramos orações especiais pelas quais as pessoas imploravam a seus corações que não testificassem contra elas. Ele foi retratado como um pássaro com o rosto de uma pessoa.

O processo de mumificação foi o mais complicado dos rituais da magia e religião egípcia antiga. O corpo estava manchado com inúmeros perfumes. Amuletos e fórmulas especificamente prescritos para esse fim foram colocados em locais específicos. Talismãs e pedras sagradas também foram designados em seu lugar, e uma grande variedade de liturgias e evocações foram realizadas em torno do corpo do falecido.

A casta sacerdotal, que era a única a ser reconhecida como maga e a ser concedida o exercício de tal atividade, era cuidadosamente mantida à parte do resto da sociedade. Foi somente no Egito moderno que os estrangeiros puderam receber a iniciação. Mas, mesmo assim, foi uma ocorrência muito rara, e ainda assim foi feita sob terríveis juramentos de sigilo. Os sacerdotes viam-se como guardiões das relíquias da antiga forma de sabedoria natural.

Eliphas Levi nos assegura que: "Foi no Egito que a magia se completou como ciência universal e como dogma perfeito. Nada superará, ou mesmo igualará, como resumo das doutrinas do mundo antigo, algumas das frases gravadas por Hermes em uma pedra preciosa e conhecida como *"Mesa Esmeralda"*.Que contém a unidade do ser e a unidade das harmonias, ascendentes ou descendentes, a escala progressiva e proporcional do Verbo, a lei imutável do equilíbrio e o progresso proporcional das analogias universais, a relação entre a ideia e o Verbo, dando a mesma medida da relação entre o Criador e o criado, e também a matemática necessária para a percepção do infinito, testado medindo apenas um canto do acabamento.

Tudo isso, afirma Levi, é expresso por esta única proposição do grande hierofante egípcio: "O que é superior é como o que é inferior, e o que está abaixo é como o que está acima, para formar as maravilhas de uma coisa".

Depois vem a relação e a descrição precisa do agente criador, do fogo universal, do grande médium do poder oculto, isto é, da luz astral: "O sol é seu pai, a lua é sua mãe, o vento o carregou em seu seio".

Assim, essa luz emana do sol, recebe sua forma e movimento regular das influências da lua, e tem a atmosfera como seu receptáculo e prisão.

"A terra fornece-lhe o seu alimento." Ou seja, é equilibrado e posto em movimento pelo calor central da terra. "Ele é o princípio universal, o Telesma do mundo."

Hermès mostra então como essa luz, que também é uma força, pode ser transformada em uma alavanca e um solvente universal, bem como um agente de formação e coagulação. Como extrair dos corpos em que se encontra em estado latente essa luz em seus vários estados, de fogo, de esplendor, de gases luminosos, de água ardente e, finalmente, de terra ígnea, para imitar, com o auxílio dessas várias substâncias, todas as criações da natureza?

"A Tábua de Esmeralda" é, diz Eliphas Levi, toda a magia em uma única página.

O conhecimento que o personagem bíblico José, filho de Jacó, aprendeu com os sacerdotes egípcios não foi outro senão a compreensão das relações naturais que existem entre ideias e imagens, entre o Verbo e suas figuras. Ele sabia que durante o sono a alma, imersa na luz astral, vê os reflexos de seus pensamentos mais secretos e até mesmo seus pressentimentos. Ele sabia que a arte de traduzir hieróglifos oníricos é a chave para a lucidez universal, e que todos os seres inteligentes têm revelações nos sonhos.

Com o judaísmo, o politeísmo começou a perder terreno, enquanto o monoteísmo venceu. O politeísmo não só permitia a magia, mas também era uma parte necessária da vida cotidiana das pessoas. O monoteísmo, por outro lado, começou a proibir a magia, pois ela é sempre uma tentativa do homem de alcançar um poder que doravante deixa de ser compartilhado por uma multidão de entidades que eram chamadas de deuses, e passa a ser uso exclusivo de um só Deus. Digamos que houve uma maior democratização do usufruto da magia no politeísmo ou, pelo menos, foi assim que foi percebido pelo poder religioso dominante.

Assim, começou a se enraizar a explicação bíblica de que através da magia o homem viola a ordem estabelecida por Deus no universo. Através dela, o homem procura alcançar um conhecimento que não lhe foi previsto, como o conhecimento das coisas vindouras. Adão e Eva foram expulsos do paraíso justamente porque poderiam ter se tornado semelhantes a Deus. O Deus monoteísta não deseja rivais; assim, mesmo a personificação do mal, Satanás, só existe em virtude de uma permissão especial da única divindade. Em tal contexto, apenas a oração era vista como um meio legítimo de exercer alguma influência sobre a realidade.

No entanto, os sacerdotes do templo de Jerusalém realizavam atos de adivinhação usando as entranhas de animais.

A magia hebraica provavelmente deriva da magia egípcia, assim como o alfabeto hebraico é uma simplificação dos hieróglifos egípcios. Moisés foi, sem dúvida, o maior mago da tradição hebraica. Agora, é preciso lembrar que Moisés foi adotado pela filha do faraó e, como resultado, ele recebeu a educação seletiva da elite egípcia, o que certamente inclui aprender magia egípcia. Assim, Moisés repetiu todos os feitos dos magos egípcios, mas eles não puderam repetir os seus, já que ao mesmo conhecimento fundamental o hebraico acrescentou a revelação direta da divindade. De acordo com o Antigo Testamento, Moisés era apenas o instrumento de Deus, operando unicamente pelo poder e vontade de Deus, perseguindo fins exclusivamente divinos. Moisés era um profeta, não um mago. Os profetas são muitas vezes mágicos, mas os magos raramente são profetas.

Do fato de que a Bíblia admite e menciona o poder mágico desses adeptos egípcios, talvez possamos concluir que a posição dos autores desses textos é que, embora a magia exista e, se devidamente empregada, por exemplo, por profissionais autorizados, como os sacerdotes do templo, ela constitui uma atividade legal e relevante para determinados fins, mas que a vontade de Deus, o Mago Supremo e Criador do universo, será cada vez mais forte.

Outro dos famosos magos hebreus foi Salomão, filho de Davi. Agora, em relação a essa figura, pode-se fazer uma distinção entre o Salomão histórico, aquele que aparece na Bíblia, e um certo tipo de magia, mais recente, chamada Salomonica, como Goetia, *Chaves de Salomão* e seus derivados, que tentavam adquirir transcendência através da evocação do nome do rei bíblico.

Enquanto Salomão era obviamente um judeu e podemos esperar que sua magia fosse puramente judaica em inspiração, com a provável adição de alguns elementos egípcios, a chamada literatura salomônica usa símbolos cristãos, bem como conceitos que refletem uma mistura de muitas tradições mágicas.

O que sabemos sobre o histórico Salomão chega até nós através de várias lendas hebraicas. Dizem-nos que ele possuía um anel mágico, através do qual exercia poder absoluto sobre todos os espíritos do planeta. O anel foi dado a ele por um Anjo enviado por Deus. Diz-se também que ele gozava de uma saúde excepcional, que ele aumentou por meios mágicos. Ele foi capaz de andar pelas águas do mar e voar sem esforço aparente, também temos certeza de que ele se juntou a 1000 esposas.

No que diz respeito à literatura salomônica, vamos estudá-la em seu respectivo período.

"Chegamos ao momento em que as ciências exatas da magia", diz Eliphas Levi, "estarão revestidas de sua forma natural: a beleza. Entre as tradições da Grécia antiga, vemos Orfeu aparecendo ao lado dos outros heróis do Tosão de Ouro, aqueles conquistadores primitivos da grande obra. O Tosão de Ouro é o espólio do Sol, é a luz própria do uso do homem, é o grande segredo das obras mágicas, é a iniciação, em uma palavra, que os heróis alegóricos desta maravilhosa história cheia de símbolos buscarão na Ásia Menor.

Quando o romance mágico de Jason termina, o de Medeia começa, já que nesta história da antiguidade grega a epopeia das ciências ocultas foi encerrada. Depois da magia hermética vem a goetia, a magia negra, desde Medeia, parricídio, fratricídio, infanticídio, sacrificando tudo às suas paixões e nunca usufruindo do fruto de seus crimes, pois vemos que ela trai seu pai, assassina seu irmão, esfaqueia seus filhos, envenena seu rival e colhe apenas o ódio daquele de quem ela queria ser amada e por quem cometeu todos esses crimes. Dessa forma, ela se torna a personificação dessa variedade maligna, perversa e destrutiva de magia que é conhecida como magia negra.

"*A fábula de Orfeu*, ao contrário, é um dogma", continua Eliphas Levi, "é a revelação dos destinos sacerdotais, e é um novo ideal que nasce do culto da beleza. Isso já é regeneração e redenção através do amor. Orfeu desce ao submundo em busca de Eurídice e deve trazê-la de volta ao mundo sem olhar para ela. Assim, o homem puro deve criar uma companheira para si mesmo, deve elevá-la a si mesmo, consagrando-se a ela, mas tomando muito cuidado para não desejá-la. É renunciando ao objeto da paixão que merecemos possuir o verdadeiro amor. Aqui, os sonhos castos da cavalaria cristã já estão presentes. Para arrebatar Eurídice do inferno, você não deve olhar para ela. No entanto, o Hierofante ainda é um homem, então ele hesita, vacila e, eventualmente, olha. Está tudo a correr mal.

Uma vez cometido o pecado, a expiação começa. Orfeu continua casto. Viúvo de virgem, permanecerá virgem, pois o poeta não tem dois corações, e os filhos da raça dos deuses amam para sempre. Aspirações eternas, fuga para um ideal que só será encontrado além do túmulo, a viuvez entregue à musa sagrada. Orfeu, carregando no coração uma ferida que só a morte pode curar, torna-se o médico das almas e dos corpos. E no final, morre vítima da sua castidade, morre a morte dos iniciadores e profetas, morre depois de ter proclamado a unidade de Deus e a unidade do amor. Tal foi, mais tarde, o pano de fundo dos mistérios da iniciação órfica. "

É certamente a este preço que conseguimos despertar e atiçar este fogo secreto, este fogo sagrado que é o nosso espírito.

E acrescenta:

Por outro lado, Cadmo é um exilado voluntário da grande Tebas do Egito, que trará para a Grécia as letras primitivas, bem como a harmonia que as une. Ao som e ao movimento dessa harmonia, a cidade típica, a cidade sábia, a nova Tebas, constrói-se de si mesma, pois toda ciência baseada na harmonia entre caracteres hieroglíficos e fonéticos e os números sagrados que se movem de si mesmos, segundo as leis da matemática eterna, colabora na formação dessa Tebas circular cuja cidadela é quadrada. Tem sete portas, como o céu mágico, e sua lenda logo se tornará a epopeia do ocultismo e a história profética do gênio humano.

A magia do mundo clássico foi formada sob a influência de muitos fatores emprestados das culturas que o precederam. A magia grega foi forjada sob a influência da magia hebraica e da magia egípcia. Muitos eram os sábios gregos, como Sólon e o próprio Pitágoras, que foram para o Egito para completar sua educação. Dessa forma, eles trouxeram aspectos importantes da cultura egípcia, bem como partes da cultura dos países que cercam o Egito.

A magia romana, assim como a religião romana, é, em muitos aspectos, uma cópia de seu equivalente grego; embora também tenha sido influenciado pelas culturas que cercavam o antigo povo romano, como a dos etruscos e, mais tarde, a dos bascos, um povo de origem não-indo-europeia. Os romanos também tinham sua própria língua e alfabeto.

Quando se tornaram uma civilização poderosa, assimilaram os etruscos, de quem copiaram muitos costumes, como prever o futuro usando o fígado de um animal sacrificado ou também pelo voo de pássaros. O Império Romano fazia fronteira ao norte com os celtas e alemães e ao sul com os hebreus e persas. Dentro dele, o cristianismo se desenvolveu, e várias correntes de magia apareceram e evoluíram, produzindo renomados mágicos. Os dois mais conhecidos são Apolônio de Tiana e Apuleio.

Apolônio de Tiana foi contemporâneo de Cristo. No entanto, a única fonte de informação que temos sobre ele vem do romance *"Philostratus"*, escrito com base nos escritos de alguns de seus discípulos. Através desses textos, ficamos sabendo que Apolônio era membro da escola pitagórica, que viajou por toda a Índia e que durante suas viagens conheceu poderosos magos. Assim, ele foi capaz de realizar muitos milagres, como os relativos à desmaterialização e materialização, à cura dos enfermos pela imposição de mãos e à ressurreição de muitos mortos.

Após sua morte, o povo de Tiana ergueu um templo para ele, e reza a lenda que o fantasma de Apolônio aparece, ao lado de um centurião romano, evocando o momento em que ele tentou conquistar Tiana. Seus ensinamentos estão de acordo com a filosofia pitagórica. Ele ensinou o ascetismo, a iluminação espiritual necessária, obtida através do estudo, trabalho, treinamento constante, autocontrole e abnegação. Ele acreditava na reencarnação da alma pessoal e era totalmente contrário à violência.

Apuleius foi outro dos grandes conhecedores da magia latina, nascido nas colônias romanas do norte da África, durante o século I d.C. Ele é considerado o autor de muitos livros preservados até hoje, embora sua autoria seja rigorosamente comprovada para apenas dois deles: as *"Metamorfoses"*, também conhecidas como *O Asno de Ouro*, o único romance romano que sobreviveu em sua totalidade, e a *"Apologia ou Discurso sobre a Magia em Autodefesa"*.

O primeiro conta a história de um jovem que se transforma em burro por causa de sua curiosidade excessiva. Indiscretamente, ele consegue ver como um jovem mágico se transforma em um pássaro, depois de aplicar uma pomada mágica em sua pele. Então, ele tenta imitá-lo. No entanto, ele confunde os óleos e acaba se tornando, como já mencionamos, um burro. O resto do livro é dedicado a descrever as aventuras que este jovem vive através do corpo complicado do burro e, finalmente, vemos como ele é trazido de volta à forma humana, graças à intercessão da deusa Ísis, após o que ele se torna um de seus sacerdotes.

O livro é, antes de tudo, uma crítica à sociedade romana, porque o burro tem livre acesso em todos os lugares e porque pode ouvir os pensamentos mais ocultos das pessoas. Neste romance, Apuleius mostra um profundo conhecimento da magia que operava na época do Império Romano, especialmente aquela magia que não era limitada pela religião e foi preservada até hoje.

No entanto, é principalmente através de sua outra obra, *"Apologia ou Discurso sobre Magia em Autodefesa"*, que obtemos muito mais informações sobre suas obras e conhecimentos mágicos. O livro é uma autodefesa, em tribunal, contra a acusação que lhe toca de que obteve casamento com uma viúva rica usando as suas habilidades mágicas. Os acusadores eram, claro, parentes da viúva, que não queriam ver toda a sua herança ir feliz para os bolsos de Apuleius. Neste pedido de desculpas, ele não apenas se defende proclamando sua inocência no tribunal, mas também mostra seu grande conhecimento da arte mágica. Primeiro, ele divide a magia em duas partes: magia ofensiva e magia útil. Em outras palavras, magia negra e magia branca, e mostra como a magia também pode ser usada para efeitos curativos e benéficos.

Na Idade Média encontramos um cristianismo bem estabelecido já em seu trono dominante e agora os governantes cristãos podem se dar ao luxo de banir outras religiões, bem como o trabalho mágico, dos territórios de seus estados. No entanto, temos notícias de que muitos padres, bispos e até papas eram muito ativos na arte mágica. Muitos livros dedicados a este assunto, supostamente escritos por bispos e papas, como Tomás de Aquino e Honório II, foram publicados após a morte de seus autores, o que não impediu a Igreja de proclamá-los santos.

Desde o estabelecimento do cristianismo até o século XIX, quando houve um verdadeiro renascimento da atividade mágica, os magos e suas obras foram severamente perseguidos. As obras mágicas devem, portanto, aparecer anonimamente, em coleções que receberam o nome de grimórios. A palavra grimório tem a mesma raiz da palavra gramática e refere-se a uma série de regras que são dadas para realizar algo específico. Este tipo de coleção mágica tornou-se muito popular, especialmente no outono da Idade Média; no entanto, eles já eram conhecidos no antigo Egito, bem como na Babilônia. A diferença entre grimórios antigos e medievais era que os primeiros eram escritos por pessoas cultas, dedicadas ao estudo da magia com o propósito específico de fornecer iluminação espiritual e sabedoria profunda e sólida. Enquanto os medievais eram muitas vezes apenas montagens, recomposições de vários manuscritos arcaicos, às vezes por um editor quase analfabeto, ou que sabia pouco sobre a língua em que haviam sido originalmente escritos, e muitas vezes com o único propósito de obter riqueza material ou o amor de uma mulher. Isso pode ser catastrófico quando se trata de pronunciar fórmulas de feitiço corretamente.

A chave de Salomão, o grimório atribuído ao rei Salomão, é provavelmente a mais famosa de todas na tradição mágica europeia. Existe em inúmeras revisões, retrabalhos, manuscritos e livros impressos, traduzidos para praticamente todas as línguas do velho continente. O mais antigo dos exemplares é escrito em grego e data do século VI, enquanto o mais recente pode ser encontrado em qualquer livraria, pois é frequentemente reimpresso.

De certa forma, pode-se dizer que o pano de fundo da chave de *Salomão* é de uma antiguidade muito distante. Algumas das palavras de advertência, a peculiar disposição dos processos, apontam para origens semíticas e até babilônicas. Pode ter penetrado na Europa através dos gnósticos, cabalistas e outras escolas mágico-religiosas semelhantes.

Autoridades religiosas estabelecidas se manifestaram repetidamente contra essa chave, e até a baniram formalmente, devido ao seu suposto caráter diabólico. Os ocultistas ocidentais respondem com a tese de que cada nota diabólica corresponde a um acréscimo posterior, e não à obra autêntica, que é, como afirmam, nada menos do que o mais puro espírito da Alta Magia, agindo pela força divina. Isso não é sem sentido, dadas as inúmeras reformulações pelas quais passou.

São instruções sobre como realizar o círculo mágico, como se preparar para a evocação de espíritos, como evocá-los e como usá-los. Para esse fim, ele também contém instruções sobre como fazer talismãs, selos, quadrados mágicos e muito mais. A versão que mais circula hoje é a tradução de Samuel Lidel MacGregor Mathers, que, manifestando total falta de escrúpulos, eliminou várias das melhores partes da obra, considerando-as impróprias para o público, esquecendo que o manuscrito original pode ser consultado em muitas grandes bibliotecas, como as de Londres e Paris. A versão mais antiga conhecida é uma cópia latina do século 16 no Museu Britânico. Ad. 10.867 mss. Traduzido do hebraico por Isau Abbraha. O francês e o latim são as línguas usuais em que a chave é encontrada, e a maioria das cópias que chegaram até nós datam do século XVIII.

Mas é preciso recuar muito mais no tempo para encontrar evidências de que a chave, ou algo muito próximo dela, existe há pelo menos 2000 anos. Já no primeiro século da era cristã, como nos diz Josefo, havia esse livro. Eleazar, o judeu, exorcizou os demônios com sua ajuda e através do anel de Salomão, que não é um objeto desconhecido para os estudantes das Noites Árabes.

Alberto Magno fala de um certo Arão, mágico e intérprete do imperador Manuel Comneno, que nos garante que o livro que ele usou era, a julgar por todas as evidências internas, a Clavícula de Salomão, e que se mostra ter sido usado constantemente do primeiro ao século XI.

Em uma das muitas cópias encontradas, é contado como a chave foi enterrada com Salomão em seu túmulo, como foi então levada para a Babilônia e, finalmente, devolvida por um príncipe daquele país.

De todo esse corpus sobrevivente, alguns estudiosos especularam que a Chave pode ter sido derivada de um corpo de magia iniciado ou usado por Salomão, que era então, ou mais tarde, comum entre os magos do Mediterrâneo oriental. Tal afirmação é interessante no sentido de que houve sugestões quanto à conexão entre a obra de Salomão e o corpo do ritual mágico usado no antigo Egito e atribuído a Hermes. O termo "hermético" ainda é usado hoje para se referir a tarefas alquímicas e secretas.

O simbolismo da chave original é, portanto, hebraico com algumas alusões egípcias, no entanto, há uma versão que substituiu todos esses símbolos por seus equivalentes cristãos. Há também um outro livro chamado *Lemegeton,* também conhecido como Goetia, no qual novas evocações de espíritos são desenvolvidas. Matters e Aleister Crowley também fizeram traduções deste outro grimório. Há outra versão bem conhecida da chave de Salomão chamada *The True Black Magic*, que lida especificamente com os aspectos mais sombrios do grimório original.

Nas cópias manuscritas em francês, traduzidas do hebraico por Abraham Colorno, depositadas no Museu Britânico e na Bibliothèque de l'Arsenal, em Paris, há no início esta advertência ao possuidor deste livro:

"Esta obra de Salomão é composta por dois livros. Na primeira, é possível descobrir como os erros são evitados no desempenho com os ânimos. No segundo livro, você será instruído sobre como executar as Artes da Magia. Você deve tomar o maior cuidado para evitar que essa chave de segredos caia nas mãos de tolos e ignorantes. Aquele que a possui e a usa de acordo com as instruções dadas será capaz não apenas de realizar cerimônias mágicas, mas também de corrigir seus erros se o fizer. Nenhuma operação vai bem se o exorcista não tiver plena consciência do que tem nas mãos. É por isso que, de uma forma muito formal, peço à pessoa que se apodera desta Chave Secreta que não a transmita a outra, que não partilhe o seu conhecimento com ninguém, a menos que seja crente, capaz de guardar um segredo, e que se destaque na arte mágica. Peço humildemente ao possuidor deste livro, pelo nome de Deus TETRAGRAMA, YOD HE VAU HE, e pelo nome de ADONAI, e pelos outros Nomes de Deus, o Altíssimo, o Santo, que veja na presente obra algo tão precioso quanto sua própria alma, e não a compartilhe com uma pessoa tola ou ignorante."

A Chave de Salomão fornece modelos de feitiços, que os magos usam para modificar de acordo com o resultado desejado. Ou seja, os feitiços não são inflexíveis, pelo contrário, são apenas receitas que o artista pode adaptar, e até combinar, para ajustá-los aos seus objetivos do momento. Isso, em magia, é quase um princípio, um fundamento. Na literatura mágica, há abundantes processos orientados a resultados que claramente derivam de uma inspiração muito diferente. Esse fato nos leva a indicar que é a intensidade da força mágica, e não seu caráter formal, que determina sua eficácia.

Aqui está o que Salomão recomenda sobre as operações de destruição:

"E é importante sempre atender às exigências dos dias e horários em que a operação será realizada, independentemente do método utilizado. E os instrumentos certos, os perfumes certos e outras coisas têm que ser usadas."

Por exemplo, atos de ódio são cometidos no dia e hora de Saturno, usando incenso ofensivo como asafetida.

Para calcular esses dados, a Chave nos fornece as seguintes tabelas:

TABLA DE LOS NOMBRES MÁGICOS DE LAS HORAS, Y DE LOS ÁNGELES QUE LAS RIGEN, COMENZANDO A LA PRIMERA HORA DESPUÉS DE LA MEDIANOCHE DE CADA DÍA Y TERMINANDO A LA MEDIANOCHE SIGUIENTE

HORAS	DOMINGO	LUNES	MARTES	MIÉRCOLES	JUEVES	VIERNES	SÁBADO
1. Yayn	Raphael	Sachiel	Anael	Cassiel	Michael	Gabriel	Zamael
2. Yanor	Gabriel	Zamael	Raphael	Sachiel	Anael	Cassiel	Michael
3. Nasnia	Cassiel	Michael	Gabriel	Zamael	Raphael	Sachiel	Anael
4. Salla	Sachiel	Anael	Cassiel	Michael	Gabriel	Zamael	Raphael
5. Sadedali	Zamael	Raphael	Sachiel	Anael	Cassiel	Michael	Gabriel
6. Thamur	Michael	Gabriel	Zamael	Raphael	Sachiel	Anael	Cassiel
7. Ourer	Anael	Cassiel	Michael	Gabriel	Zamael	Raphael	Sachiel
8. Thainé	Raphael	Sachiel	Anael	Cassiel	Michael	Gabriel	Zamael
9. Neron	Gabriel	Zamael	Raphael	Sachiel	Anael	Cassiel	Michael
10. Yayon	Cassiel	Michael	Gabriel	Zamael	Raphael	Sachiel	Anael
11. Abai	Sachiel	Anael	Cassiel	Michael	Gabriel	Zamael	Raphael
12. Nathalón	Zamael	Raphael	Sachiel	Anael	Cassiel	Michael	Gabriel
1. Beron	Michael	Gabriel	Zamael	Raphael	Sachiel	Anael	Cassiel
2. Barol	Anael	Cassiel	Michael	Gabriel	Zamael	Raphael	Sachiel
3. Thanu	Raphael	Sachiel	Anael	Cassiel	Michael	Gabriel	Zamael
4. Athor	Gabriel	Zamael	Raphael	Sachiel	Anael	Cassiel	Michael
5. Mathon	Cassiel	Michael	Gabriel	Zamael	Raphael	Sachiel	Anael
6. Rana	Sachiel	Anael	Cassiel	Michael	Gabriel	Zamael	Raphael
7. Netos	Zamael	Raphael	Sachiel	Anael	Cassiel	Michael	Gabriel
8. Tafrac	Michael	Gabriel	Zamael	Raphael	Sachiel	Anael	Cassiel
9. Sassur	Anael	Cassiel	Michael	Gabriel	Zamael	Raphael	Sachiel
10. Agla	Raphael	Sachiel	Anael	Cassiel	Michael	Gabriel	Zamael
11. Caerra	Gabriel	Zamael	Raphael	Sachiel	Anael	Cassiel	Michael
12. Salam	Cassiel	Michael	Gabriel	Zamael	Raphael	Sachiel	Anael

TABLA DE LAS HORAS PLANETARIAS

DOMINGO	LUNES	MARTES	MIÉRCOLES	HORAS de puesta a puesta	HORAS de medianoche a medianoche	JUEVES	VIERNES	SÁBADO
Mercurio	Júpiter	Venus	Saturno	8	1	Sol	Luna	Marte
Luna	Marte	Mercurio	Júpiter	9	2	Venus	Saturno	Sol
Saturno	Sol	Luna	Marte	10	3	Mercurio	Júpiter	Venus
Júpiter	Venus	Saturno	Sol	11	4	Luna	Marte	Mercurio
Marte	Mercurio	Júpiter	Venus	12	5	Saturno	Sol	Luna
Sol	Luna	Marte	Mercurio	1	6	Júpiter	Venus	Saturno
Venus	Saturno	Sol	Luna	2	7	Marte	Mercurio	Júpiter
Mercurio	Júpiter	Venus	Saturno	3	8	Sol	Luna	Marte
Luna	Marte	Mercurio	Júpiter	4	9	Venus	Saturno	Sol
Saturno	Sol	Luna	Marte	5	10	Mercurio	Júpiter	Venus
Júpiter	Venus	Saturno	Sol	6	11	Luna	Marte	Mercurio
Marte	Mercurio	Júpiter	Venus	7	12	Saturno	Sol	Luna
Sol	Luna	Marte	Mercurio	8	1	Júpiter	Venus	Saturno
Venus	Saturno	Sol	Luna	9	2	Marte	Mercurio	Júpiter
Mercurio	Júpiter	Venus	Saturno	10	3	Sol	Luna	Marte
Luna	Marte	Mercurio	Júpiter	11	4	Venus	Saturno	Sol
Saturno	Sol	Luna	Marte	12	5	Mercurio	Júpiter	Venus
Júpiter	Venus	Saturno	Sol	1	6	Luna	Marte	Mercurio
Marte	Mercurio	Júpiter	Venus	2	7	Saturno	Sol	Luna
Sol	Luna	Marte	Mercurio	3	8	Júpiter	Venus	Saturno
Venus	Saturno	Sol	Luna	4	9	Marte	Mercurio	Júpiter
Mercurio	Júpiter	Venus	Saturno	5	10	Sol	Luna	Marte
Luna	Marte	Mercurio	Júpiter	6	11	Venus	Saturno	Sol
Saturno	Sol	Luna	Marte	7	12	Mercurio	Júpiter	Venus

Antes de determinar o dia e a hora corretos, o mago deve considerar o que deseja alcançar pelo ato mágico planejado e, em seguida, localizar no mapa o planeta que rege o tipo de operação planejada. Sobre os dias, Salomão resume esses dados da seguinte forma:

Saturno: Salve do abismo. Operações relacionadas à construção para o bem e para o mal; obter o favor de espíritos familiares conversando com alguém em sonho; sorte e infortúnio nos negócios; propriedades, frutas e hortaliças; para mais informações. Atos de ódio, morte e desastre.

Júpiter: honra e riquezas. Amizade, saúde. Desejos do coração.

Março: guerra, sucessos militares. Coragem, destruição. Atos de discórdia, morte e sofrimento. Para fazer fortuna em assuntos militares.

Sol: dinheiro, esperança, feitiço. Operações para ganhar o apoio de príncipes e de quem está no poder. Contra a hostilidade e pela amizade em geral.

Vênus: amor, cordialidade, viagens, gentileza e prazer.

Mercúrio: eloquência, negócios. Artes e Ciências. Prodígios e feitiços, previsões, descobertas de roubos, bens e mercadorias. Operações envolvendo fraude.

Lua: viagem em terra, por mar, amor e reconciliação, mensageiros. Voo (lua nova), visões, água.

Quando se trata de horas, ele revela o seguinte:

Saturno, Marte e as Horas da Lua: invocando espíritos, atos de ódio e inimizade.

Mercury Hours: Jogos, Piadas, Hobbies. Localize roubos com a ajuda de espíritos.

Horas de Março: Extração de almas do inferno, especialmente soldados mortos em combate de guerra.

Horas de Júpiter e Sol: atos de invisibilidade, amor e bem-estar. E todas as experiências inusitadas.

A posição da Lua nos diferentes signos do zodíaco também deve ser considerada:

A Lua deve estar em Touro, Virgem ou Capricórnio, ou seja, um signo de elementos terrenos, para efeitos sobrenaturais.

Para ações de amor, amizade ou indivisibilidade, a Lua deve estar em um dos signos de fogo: Áries, Leão ou Sagitário.

O ódio e a discórdia são alcançados quando a Lua está em um signo de água: Câncer, Escorpião ou Peixes.

Qualquer operação incomum deve ser planejada para as datas em que a Lua ocupa um signo de ar: Gêmeos, Libra ou Aquário.

Da mesma forma, *a Chave de Salomão* sustenta que nenhuma operação envolvendo contato com espíritos pode ser realizada sem que um círculo mágico tenha sido desenhado, devidamente consagrado, depois que o mestre e seus discípulos tenham sido santificados e purificados por sua vez.

Isso está de acordo com os padrões exigidos pela alta magia, e data pelo menos da época das tábuas babilônicas, nas quais uma fórmula é dada para a consagração do círculo de proteção.

É só na chave que encontramos todos os detalhes dos ritos preparatórios. Se forem negligenciados, dizem os Magos, a evocação está inexoravelmente condenada ao fracasso.

Em primeiro lugar, o mago deve decidir concretamente o que quer fazer, que espírito deve ser invocado para que a ação pretendida seja realizada. Feito isso, o mago focará sua atenção inteiramente no objetivo que está perseguindo. Isso continua durante a preparação e consagração das roupas e acessórios, até o momento real da operação, que ocorre de acordo com os dados e as horas e potências planetárias.

O professor, diz Salomão, deve primeiro certificar-se de que está em um estado de pureza ritual. Isso significa que ele e seus assistentes devem se abster, pelo menos nos nove dias anteriores à invocação, de qualquer coisa que seja indigna ou sensual. Será necessário jejuar até três desses dias, ou, no mínimo, comer mais frugalmente.

Ao final de seis dias, deve-se ler a oração e a confissão, cujas fórmulas são dadas no texto. No sétimo dia, o oficiante deve realizar abluções completas, isto é, imersão total na água benta, enquanto recita a seguinte oração:

"Ó Deus Todo-Poderoso! Tu que, pelo teu poder, permitiste que os homens marchassem do Egito sobre o Mar Vermelho: concede-me esta graça, já purificada e limpa por estas águas, já pura na tua presença. "

O mago então completa seu banho e vaso sanitário no líquido santificado e, em seguida, seca-se com uma toalha de linho branco. Então ele está pronto para vestir as vestes puras da Arte.

A bênção dos assistentes e a colocação de suas roupas são feitas da seguinte maneira: os dois discípulos são conduzidos por seu mestre a um lugar isolado, onde ele os banha na água sagrada, da maneira descrita, cuidando para que fiquem completamente imersos. Em seguida, o mago recita:

"Regenera-te, purifica-te e purifica-te, para que os espíritos não te prejudiquem, para que não habitem em ti. Amém. »

Uma vez purificados os assistentes, eles podem vestir seus atributos mágicos e prosseguir com a cerimônia de convocação, depois de entrarem devidamente em seus respectivos círculos. O ritual que se segue é perfeitamente descrito e detalhado, com todas as suas fórmulas especificadas.

A seguir, passamos à descrição de como os medalhões milagrosos foram feitos. Esses talismãs têm o poder, juntamente com os pentáculos comuns, de despertar o medo entre os espíritos. Além disso, fazem com que os espíritos dos planetas que representam obedeçam ao oficiante em todos os aspectos. "Onde quer que você vá", diz nosso autor, "enquanto você levá-los com você, você se sentirá seguro por toda a sua vida".

Estudiosos do ocultismo muitas vezes aludiram aos terríveis perigos envolvidos na invocação de espíritos. Às vezes, eles respondem combinando nomes que não são seus, confundindo o oficiante. Eles podem conseguir, esforçando-se para fazê-lo, trazer o mago, ou um discípulo, para fora do círculo protetor. Nessas ocasiões, a morte geralmente ocorria. No entanto, olhando para as garantias dadas sob os títulos desses medalhões milagrosos, inclina-se a pensar que a confiança dada no livro é de boa-fé: "Quando agem pelo poder dos medalhões, todos os espíritos obedecem, imediata e seguramente".

A partir do momento em que alguém se desfaz desses talismãs e os leva consigo, "agradarás a todos, a água e o fogo serão vencidos por eles, todas as coisas criadas temerão os Nomes que neles estão fixados e te obedecerão". Como tudo o que é mágico envolve a aquisição de poder, de uma forma ou de outra, pode-se dizer que é apropriado que todo mago se dê ao trabalho de fazer os medalhões de Salomão.

Deve-se notar também que a maioria desses medalhões está gravada com um versículo de um dos salmos do rei Davi, pai de Salomão. Daí a ideia de que a recitação desse salmo pode ser prescrita para um dia específico, já que os medalhões nos são entregues em pacotes que correspondem a um planeta específico ou, em outras palavras, a um dia específico da semana. Assim, por exemplo, medalhões dedicados a Marte contêm termos ofensivos ou relacionados à proteção, como os encontrados nos Salmos 91 e 108 (ou 109 em algumas edições). Dessa forma, esses salmos provavelmente nos protegerão daqueles que nos desejam mal, ou podem simplesmente ser usados como uma arma de arremesso, como um encantamento mágico, ou uma maldição, contra eles.

Um dos grimórios mais antigos renderizados em latim na época medieval é o *Picatrix*. O título em árabe se traduz como O *Gol do Sábio*. A versão existente deste grimório é uma tradução latina de um texto árabe que passou por um manuscrito castelhano agora perdido, que foi, provavelmente, por sua vez, uma tradução do texto original para o grego. Como se sabe, a cultura árabe serviu de salvaguarda para as obras fundamentais dos gregos e romanos durante a chamada idade das trevas, durante a qual a Igreja proibiu qualquer especulação que ultrapassasse o cânone apostólico. A tradição árabe era muito mais tolerante com o pensamento metafísico e todas as suas especulações necessárias. Hoje podemos agradecer a todos aqueles árabes iluminados por possuírem muitas obras de Platão, Aristóteles e outros filósofos cujas obras nos foram preservadas por eles, desde que desapareceram no Ocidente.

Picatrix é o clássico grimório medieval que contém feitiços e rituais para invocar fantasmas, criar talismãs, descobrir tesouros e muito mais. Ele discute a natureza dos demônios e outros espíritos, usando muitos argumentos da escola neoplatônica, e fornece várias maneiras de se comunicar com eles. A aparente desordem em que a matéria mágica, astrológica e astronômica se apresenta pode ser devida a um propósito intencional, o de evitar críticas de autoridades civis e religiosas em seus diversos estágios de composição. Assim, as passagens da magia prática se entrelaçam com um farrago teórico às vezes indissociável. Este grimório caracteriza-se pelo facto de não ser tão influenciado pelo cristianismo como os outros, o que nos permite ter uma intuição da evolução da magia fora do contexto europeu.

Alberto Magno foi um escolástico que viveu no século XII. Um dos teólogos a quem a Igreja concedeu o título de Doutor Divino, defensor do cristianismo. Embora ao longo de sua vida ele tenha escrito muitos livros tratando de vários tópicos, ele é conhecido principalmente por aqueles em que ele se refere a círculos mágicos. Este livro intitulava-se *Os Maiores Segredos do Magnífico Alberto Magno,* embora a verdade é que os críticos modernos não têm a certeza da sua atribuição. Alguns acreditam que a escrita final não se deve ao próprio Alberto, mas a um de seus discípulos, também um médico divino, Tomás de Aquino, que teria se dedicado à arte da magia no final de sua vida. Nesse caso, ele usaria as anotações do professor.

O livro contém um ensaio sobre magia, a maior parte do conteúdo do qual pode ser classificado como magia branca, embora algumas partes e aspectos caiam sob o domínio da magia negra. Inclui algumas seções que tratam de talismãs, o poder mágico de gemas, feitiços, etc. Um exemplo: "Se você quer se sentir em paz, pegue a pedra chamada safira, que vem do leste, da Índia. O amarelo é o melhor e não é muito brilhante. Traz paz e harmonia; purifica também a mente e aumenta a devoção a Deus, além de fortalecer a mente, direcioná-la para coisas boas e evitar que o homem sinta demais a paixão do ódio".

O "Livro dos Encantamentos" *do Papa Honório, o Grande,* é um dos grimórios mais famosos da tradição ocidental. Isso se deve, em parte, à descrição desfavorável de Eliphas Levi em seu livro *"Magia Transcendental". O Livro dos Feitiços* começou a circular durante a vida deste papa e contém feitiços e evocações para invocar demônios. Também inclui algumas referências a sacrifícios de animais, de modo que alguns autores, como o próprio Eliphas Levi, interpretaram esses códigos como métodos de sacrifício de seres humanos.

O que é mais notável nesta obra é que ela está cheia de fórmulas e orações retiradas dos ritos cristãos, razão pela qual a Igreja mostra uma repugnância particular em relação a ela. Na introdução, menciona-se a existência de uma bula papal, pela qual foram dadas instruções para que o Grimório ou *Livro de Encantamentos* fosse usado pelo clero para invocar espíritos, acrescentando às funções dos sacerdotes ordenados a de controlar demônios, e isso por disposição apostólica.

Esta bula é seguida pelo Ritual de Honório, que contém uma oração cristã. Agora, com essa peculiaridade notável, que depois de invocar o nome de Jesus Cristo e dizer Amém, um galo negro é sacrificado. Isso é seguido por uma massa de anjos, seguida por um ofício para os mortos (tudo isso sem que o feiticeiro deixe de rastrear símbolos mágicos de todos os tipos). Depois disso, o oficiante deve sacrificar um cordeiro, cantar vários salmos, recitar os setenta e dois nomes de Deus e proceder à leitura de parte do Evangelho de São João. Finalmente, vem o Grande Encantamento, através do qual o feiticeiro convoca um espírito específico para vir ao Círculo de Evocação e realizar sua vontade.

O ritual de Honório é complementado por vários feitiços específicos para invocar os reis dos demônios, por isso o grimório também é conhecido como o *Livro dos Feitiços.*Há um destino para Magoa, o rei do Oriente, outro destino para Egym, o rei do Sul, outro para Baymon, o rei do Ocidente, e outro para Amaymon, o rei do Norte. Se os reis não puderem responder ao chamado do oficiante, por qualquer motivo, o oficiante pode pedir-lhes que enviem seus subordinados. Claro, também há um feitiço para Lúcifer, que só pode ser afastado na segunda-feira. Outros feitiços notáveis no livro são aqueles usados para invocar Frimost (na terça-feira), Astaroth (na quarta-feira), Silcharde (na quinta-feira), Bechard (na sexta-feira), Guland (no sábado) e Surgat (no domingo).

O Grimório também indica os momentos mais apropriados para invocar cada demônio, fornecendo um mapa astrológico, bem como os dias de sorte e infelizes do ano, os demônios e anjos que estão associados a cada planeta e seus talismãs correspondentes. Lúcifer, por exemplo, é o demônio da Lua, de acordo com este trabalho (embora na maioria dos livros sobre bruxaria ele esteja associado a Vênus, a estrela da manhã).

Assim começa o polêmico e terrível livro: "A Sagrada Sé Apostólica recebeu as chaves do Reino dos Céus com estas palavras, dirigidas a São Pedro por Jesus Cristo: 'Eu vos dou as chaves do Reino dos Céus. É somente a vocês que dou o poder de dar ordens ao Príncipe das Trevas e aos anjos que são seus servos e que lhe obedecem com honra. E havia outras palavras de Jesus Cristo: "Adorarás ao Senhor teu Deus, e somente a Ele servirás". Portanto, em virtude dessas chaves, o Chefe da Igreja tornou-se o Chefe do Inferno.

E até o momento desta Constituição, somente o Pontífice reinante possuía a virtude e o poder de comandar os espíritos e invocá-los. Mas agora, Sua Santidade Honório III, amadurecido por seus deveres pastorais, decidiu, gentilmente, transmitir os métodos e a faculdade de invocar e controlar espíritos, aos seus irmãos mais venerados em Cristo, e acrescentou os feitiços necessários para isso. Tudo isso pode ser encontrado em nosso touro, que é o seguinte:

"Servo dos servos de Deus. A cada um dos nossos respeitados irmãos da Santa Igreja Romana, cardeais, arcebispos, bispos e abades. A cada um de nossos filhos em Jesus Cristo, sacerdotes, diáconos, subdiáconos, acólitos, exorcistas, pastores, membros do clero secular ou regular; A todos vós concedo a minha Bênção Apostólica. +

Na época em que Jesus, o Filho de Deus, o Salvador, da tribo de Davi, vivia nesta terra, vimos que tipo de poder ele exercia sobre os demônios. Este poder comunicou-o a São Pedro com estas palavras: "Sobre esta rocha edificarei a minha igreja, e as portas do inferno não prevalecerão contra ela".

Estas foram as palavras dirigidas a São Pedro, que foi o chefe e o fundamento da Igreja.

Nós, o indigno pontífice, elevado a este alto cargo pela benevolência de Deus, e herdeiro, como sucessor de São Pedro, das chaves do reino dos céus, temos a intenção e o desejo de comunicar esse poder que possuímos sobre os espíritos, e que até agora só era conhecido por aqueles de nossa categoria. Sob a inspiração de Deus, desejamos transmitir e compartilhar esse poder com nossos irmãos respeitados e estimados filhos de Jesus Cristo. Cremos que, quando exorcizam aqueles que estão possuídos, eles podem muito bem ser intimidados pelas aparições assustadoras de anjos rebeldes que foram lançados no abismo por seus pecados. Pois pode ser que eles não sejam suficientemente versados nas coisas que deveriam conhecer e usar; e desejamos que aqueles que foram redimidos pelo sangue de nosso Senhor Jesus Cristo não sejam torturados por nenhuma arte de feitiçaria ou possessão pelo diabo, por isso acrescentamos a esta Bula uma forma invariável de invocação.

É justo e necessário que aqueles que oficiam no altar possam exercer poder sobre os espíritos rebeldes. É por isso que vos confiamos poderes que até agora só nos pertenciam. Ordenamos a você, em virtude de nossa autoridade papal, que cumpra o seguinte em sua totalidade, sem alterações. Caso contrário, e por qualquer omissão, poderiam atrair sobre si a ira do Todo-Poderoso. "

Outro papa que tinha uma profunda inclinação para a magia era Leão III. Não é surpreendente que muitos ocupantes da Cátedra Apostólica estejam interessados neste assunto, pois sabe-se que a Biblioteca do Vaticano, especialmente em suas salas secretas, possuía, e provavelmente ainda possui, a mais rica coleção de livros proibidos, incluindo livros de magia. Há rumores de que para cada livro herético ou mágico que a Inquisição queimou, bem como seu autor, é claro, uma cópia foi enviada ao Vaticano para ser catalogada e preservada. O *Enchiridion do Papa Leão* é um conhecido grimório que contém exorcismos e encantamentos para expulsar demônios, mas também instruções para celebrar missas negras e evocar esses mesmos demônios. O livro original em latim foi traduzido para o francês, alemão e inglês. A primeira edição contém em suas capas um talismã que o autor afirma possuir um poder fabuloso, tanto para evocar demônios quanto para expulsá-los.

Leão III dedicou esta obra ao imperador Carlos Magno, precedida de uma oração que oferecia as garantias que dela decorriam. Eis a oração:

"Senhor, se você acreditar firmemente na eficácia das orações que eu lhe envio e recitá-las com devoção, sua influência alcançará as alturas mais altas da espiritualidade e seu poder na terra será ilimitado. Recomendo-vos a primeira das orações. Se você recitá-lo com grande fervor e tê-lo escrito ao mesmo tempo em um pedaço de pergaminho em branco, posso assegurar-lhe que, seja em batalha, nos mares ou onde quer que esteja, nenhum de seus inimigos será capaz de derrotá-lo. Não só você será invencível, mas você estará sempre a salvo de todos os tipos de adversidades, armadilhas e armadilhas. Em nome de Nosso Senhor Jesus Cristo. + Amém.

ORAÇÃO CONTRA TODOS OS TIPOS DE ENCANTAMENTOS, MALDIÇÕES, FEITIÇOS, ILUSÕES,

POSSES, OBSESSÕES, LIGADURAS, FILTROS E QUALQUER OUTRA COISA QUE POSSA ACONTECER A UMA PESSOA POR MAGIA, OU ATRAVÉS DA MEDIAÇÃO DO DIABO OU ESPÍRITOS MALIGNOS. E TAMBÉM É BENÉFICO CONTRA QUALQUER INFORTÚNIO OU DOENÇA QUE POSSA PREJUDICAR O GADO, AVES E ANIMAIS DE ESTIMAÇÃO.

"O Verbo, vós que vos fizestes carne, que estavas fixados à Cruz, para que vos assenteis à direita de Deus Pai: peço-vos humildemente, pelo vosso santo nome, diante do qual todo o mundo se curva, que aceiteis as súplicas daqueles que depositam toda a sua fé e confiança em vós. Peço-vos que conserveis esta criatura N... N... de toda maldição, seja obra de um feiticeiro maligno ou sede do diabo e dos maus espíritos, para a qual faço aqui a Santa + Cruz de Nosso Senhor Jesus Cristo, que é a fonte da nossa vida e a fonte da nossa saúde, que é a nossa ressurreição e que é a queda fatal do Espírito mau. + Amém.

Fuja, fuja, fuja! Eu ordeno e conjuro vocês, seres do Submundo, larvas malditas, sejam elas quais forem, presentes ou ausentes, sob qualquer pretexto que vocês possam ser chamados, convidados, conjurados ou enviados, voluntariamente ou pela força, pela ameaça ou artifício de homens ou mulheres ímpios, para habitar nesta criatura ou atormentá-la, eu os conjuro a deixá-la em paz; e exijo de vós, por mais obstinados que sejais, que abandoneis ipso facto o corpo desta criatura N... N.... em nome do grande + Deus vivo: para o Deus + verdadeiro, para o Deus + Santo, para o Deus + Pai, para o Deus + Filho, para o Deus + Espírito Santo e, especialmente, para Aquele que foi morto em Isaque, vendido em José+ e que, sendo homem, foi crucificado e morto como cordeiro. + De e com a autoridade de São Miguel, que te deu batalha, te conquistou e te dispersou: e em nome de Deus, Uno e Santo, eu te ordeno que não faças mal ao N... N..., seja em seu corpo ou em sua alma, nem por visões, terrores, tentações, nem de qualquer outra forma, de noite ou de dia, dormindo ou acordado, quer coma ou jejue, quer aja naturalmente ou espiritualmente + Amém. Se vos rebelardes contra a minha vontade, lançarei sobre vós terríveis maldições e excomunhões, e condenar-vos-ei, com a ajuda do +Santíssimo + Trindade+, à poça de fogo eterno, para onde sereis conduzidos pelo resplandecente São Miguel Arcanjo. Se alguém te convocou e obrigou por uma ordem expressa, seja adorando-te por adoração e incenso, ou por palavras mágicas, ou pela força de certas ervas, pedras, ou metais, pergaminhos ou encantamentos, ou por água, fogo, ar ou terra, ou por qualquer coisa natural ou misteriosa, temporal ou eterna, mesmo quando tenha usado um objeto sagrado e tenha usado nomes e caracteres secretos, observando os dias, horas e minutos, mesmo quando há um pacto tácito ou explícito com você com a assinatura de sangue e um voto solene".

Depois disso, o próprio livro começa com uma oração para cada dia da semana e uma série de encantamentos para as mais diversas circunstâncias.

A meio caminho entre a Idade Média e o Renascimento, surge o mago Cornélio Agripa cujo nome verdadeiro é Heinrich Cornelius Agrippa von Nettesheim. Foi secretário da corte de Carlos I de Espanha, médico de Luísa de Saboia, teólogo e soldado em Espanha e Itália, professor nas universidades de Dole e Pavia, bem como orador e defensor público em Metz, até ser denunciado por defender uma mulher acusada de ser bruxa. Ele foi banido da Alemanha em 1535, depois de lutar com o Inquisidor de Colônia e preso na França por criticar a rainha-mãe Maria Luísa de Saboia.

É considerado uma figura importante do Renascimento, como Leonardo da Vinci, Pico della Mirandola ou Gerolamo Cardano.

Ele é mais conhecido por seu livro *"De Occulta Philosophiae"*, no qual ele defende a magia como uma ciência, e dá uma visão geral do ensino mágico desde suas origens. Neste livro, ele também discute a Cabalá e dá muitos exemplos de como criar talismãs cabalísticos. Ele também forneceu selos sobre os espíritos planetários usados para sua evocação. É, no entanto, essencialmente um livro teórico. Cerca de cem anos após a publicação deste livro, começou a circular um volume intitulado *"O Quarto Livro de Filosofia Oculta"*, cujo conteúdo é mais próximo do de um grimório clássico. A atribuição deste livro a Cornélio Agripa não foi provada. A verdade é que este quarto livro foi uma forte inspiração para o homem que é o maior expoente da magia ocidental no início da era contemporânea, Francis Barrett. Trata-se de magia cerimonial, baseada no uso de círculos mágicos.

Johannes Faustus, Doutor Fausto, mais conhecido pelo Fausto de Goethe, mas deve-se notar que ele também foi uma figura histórica que viveu na Alemanha do século 15. Há rumores de que ele vendeu sua alma ao diabo em troca de juventude e poderes mágicos. As histórias sobre ele são didáticas e a Igreja provavelmente usou sua figura para ensinar obediência ao clero e não ir muito longe no reino da magia. O detalhe menos conhecido sobre esse personagem é que foi preservado um livro em que Fausto aparece como autor. A obra é apresentada como uma tradução do original alemão para o tcheco e contém feitiços e rituais para evocar fantasmas e espíritos elementais.

Francis Barrett é provavelmente o último dos grandes magos com raízes medievais, embora tenha vivido no século XIX, o que abriu caminho para o renascimento do novo tipo de magia que se desenvolveu durante esse século. Sua vida é praticamente desconhecida para nós, e ele entrou para a história da magia principalmente por causa de seu livro, publicado em 1801, intitulado *"Magus"*, com o subtítulo *Inteligência Celestial*. Este é um dos últimos grimórios originais e contém um curso completo de magia, desde fazer a varinha mágica até descrever os demônios e espíritos que podem ser evocados. A próxima reimpressão do Mago foi em 1896, quando a magia estava crescendo exponencialmente na Europa.

Os anos de 1855-56 marcaram um renascimento da magia ligada à publicação dos livros de Eliphas Levi *"Dogma da Alta Magia" e* "Ritual da Alta Magia". Este é o momento em que a glória do período positivista passa e as pessoas começam a se sentir desiludidas com a rigidez da visão racionalista de mundo. Assim, outras alternativas foram buscadas, e um bom número de pensadores voltou-se para a esquecida tradição do ocultismo. Como resultado, muitos livros meio esquecidos nas prateleiras de livrarias antigas são tirados do pó e estudados com zelo. Novas contribuições estão sendo escritas sobre o assunto, de modo que, sob os velhos clichês, surgem ideias originais.

O final do século 19 viu a criação e destruição da Aurora Dourada, a ordem mágica mais influente da Europa. No entanto, com a nova onda do pensamento mágico, a mesma magia é entendida em relação a objetivos diferentes do que antes. As tendências da magia moderna são conformar a arte a uma espécie de caminho espiritual, a um método de acelerar a evolução individual. Muitos desses objetivos têm suas origens na tradição de sabedoria do Oriente e do Ocidente.

Como já mencionamos, a abundante produção de Eliphas Levi desencadeou, em grande parte, essa revolução. O nome verdadeiro desse ocultista era Alphonse Luis Constant, que nutria a vocação de ser padre, embora não pudesse atingir seu objetivo porque suas ideias não eram compatíveis com as da hierarquia eclesiástica de seu tempo.

Seu primeiro professor de ocultismo foi o mítico ocultista polonês Wronski, que escreveu em suas memórias que ele iniciou Levi nos segredos da Alta Cabala. Depois disso, Levy passou muito tempo estudando livros ocultos, grimórios e sintetizando todos os livros de sabedoria e espiritualidade que caíram em suas mãos, o que resultou nas duas obras mencionadas acima. Também, à sua *"História da Magia"*.

Pelo estilo de seus escritos, ele ainda era um mago da velha escola, pois nunca tentou provar os conceitos científicos da magia. No entanto, por causa de sua brevidade e compreensão do fenômeno mágico, ele pode ser considerado como pertencente à nova escola e ao iniciador.

Sua linguagem é excessivamente metafórica, e ele faz muitas referências a outros livros, tornando-o um escritor bastante pesado. Em sua *"Magia Transcendental"*, ele divide a obra em capítulos de acordo com as 22 cartas de tarô e afirma que toda a sabedoria oculta que flui pelas veias subterrâneas do mundo está contida no arranjo simbólico que as imagens dessas cartas suportam. Crowley afirma que as cartas de instrução que dirigiu a seus discípulos constituem o melhor de seu trabalho.

A Aurora Dourada foi uma sociedade secreta que teve um enorme impacto na mídia mágica da Europa do século XX, publicando seus documentos secretos por seus ex-membros. De acordo com uma anedota que circulou entre os seguidores dessa sociedade, sua fundação foi baseada em um código manuscrito que Win Wescot, um dos fundadores, maçom e ocultista, encontrou em um antigo armazém. Wescot então contatou Samuel Lidell Macgregor Mathers, que era um respeitado mago e egiptólogo da época, e juntos eles decodificaram o manuscrito contendo quatro rituais complicados. Neste manuscrito, eles também encontraram o endereço de uma pessoa chamada Mrs. Spriengel, uma nativa da Alemanha, que parecia supervisionar uma ordem mágica secreta, supostamente enraizada na tradição do Rosacruz. A partir disso, a Sra. Spriengel, eles finalmente receberam uma carta de aprovação para fundar a sociedade secreta de natureza mágica chamada Aurora Dourada, com sua primeira loja, Isis Ucrânia, imediatamente estabelecida em Londres. Os fundadores e diretores da empresa foram Matters, Westcott e Woodman, outro ocultista e maçom inglês.

A ordem oferecia treinamento mágico complexo imbuído de hermetismo e apresentava trabalho hierárquico em graus variados em correspondência com as Sefirot da Árvore da Vida. Para obter cada um dos diplomas, era necessário adquirir e dominar uma certa quantidade de conhecimentos teóricos e práticos. A formatura e as iniciações eram sancionadas por rituais em grupo. O neófito recebeu lições que incluíam o simbolismo do alfabeto hebraico, astrologia e alquimia. Depois disso, veio o ritual de iniciação, e então cada pretendente aos graus superiores deveria ser examinado pelos membros mais qualificados. Cada classe tinha uma roupa diferente, um emblema diferente, um lema diferente, um símbolo próprio, etc. O progresso dos membros era monitorado pela manutenção de diários mágicos, o que ainda é uma prática comum nos dias de hoje. Os oficiais de mais alta patente da ordem verificavam periodicamente esses registros.

A ordem caducou por duas razões principais. A primeira é porque, após as mortes de Wescot e Woodman, Mathers permaneceu uma espécie de ditador indiscutível que governou a ordem com uma tala de ferro. Isso fez com que muitos membros desistissem, também porque Mathers mostrou pouco interesse nas tarefas tediosas de admitir e testar novos candidatos, muitos dos quais tinham habilidades ruins. O golpe final no Aurora Dourada veio quando Aleister Crowley publicou todos os seus documentos secretos na *revista Equinox*.

Por outro lado, a colocação à disposição do público desses documentos, escritos sem metáforas, uma vez que originalmente se destinavam ao uso interno, preparados para a prática instantânea, exerceu uma influência direta no notável desenvolvimento das ordens mágicas e, em geral, na prática da magia na Europa. Várias ordens nasceram das cinzas da Aurora Dourada, como a Vigília Matinal, e hoje ainda existem ordens que praticam o método ortodoxo da Aurora Dourada, como a Ordem Hermética da Aurora Dourada, com sede em Oxford.

Aleister Crowley nasceu na Inglaterra em 1875, mesmo ano em que Eliphas Levi morreu. Crowley veio de uma família rica e nobre, o que lhe permitiu estudar em Cambridge, onde conheceu o ocultismo e a magia. Ele foi iniciado na Aurora Dourada sob a supervisão de um de seus professores, Allan Bennett, um poderoso mago da época, e subiu nas fileiras da ordem em cerca de um ano e meio, algo que ninguém jamais havia conseguido antes. Allan Bennett era o filho adotivo de Mathers, o líder da ordem, e possuía um talento especial para as ciências ocultas. Ele ensinou a Crowley tudo o que sabia sobre magia.

Mais tarde, Crowley foi forçado a deixar a Inglaterra para o Ceilão, pois sua vida em sua terra natal estava ameaçada pela asma. Lá ele se tornou um monge budista e passou vários anos em um mosteiro. Retornando à Inglaterra, onde permaneceu pelo resto de sua vida, tentou provar empiricamente a existência do mundo astral.

Crowley sentiu que não poderia ficar muito tempo na Aurora Dourada dominada por Mathers, então ele deixou a ordem e publicou todo o seu material secreto na revista Equinoxe. A justificativa que ele deu para tal ato foi que os principais líderes da ordem o instaram a fazê-lo.

O evento mais importante na vida de Crowley ocorreu no Cairo em 1904, onde ele afirma ter recebido uma mensagem de uma inteligência extraterrestre, que se chamava Aivass, e que deu a Crowley o texto do livro sagrado Liber *legis* ou também chamado *Liber AL vel Legis*. Como resultado, ele proclamou a nova religião chamada Thelema, um nome derivado do grego "vontade".

Crowley seria o profeta dessa nova religião e, aplicando o conteúdo do livro, proclamaria o Aeon de Hórus, o Filho, adotando assim o simbolismo egípcio. Este foi o terceiro Aeon, sendo o primeiro o de Madre Ísis, que correspondia ao matriarcado e às religiões politeístas, e o Aeon do Pai, Osíris, que era o Aeon do patriarcado e das religiões monoteístas.

Escreveu vários livros sobre magia, nos quais usou símbolos da antiguidade, incorporando-os à sua nova religião. Seu trabalho sobre a correspondência cabalística, que começou na época da Aurora Dourada com Bennett, é de particular valor e foi publicado em seu *Liber 777*.

Após a dissolução do Aurora Dourada, ele formou uma sociedade secreta chamada *Argentum astrum,* que mais tarde se tornou o núcleo oculto da organização OTO e pretendia ser o verdadeiro sucessor do Aurora Dourada, mas desapareceu junto com o OTO. Crowley permaneceu no comando da OTO pelo resto de sua vida. Ele morreu em 1947 em uma casa de repouso.

O Aurora Dourada foi o lar de seguidores como os escritores Arthur Machen, Bram Stoker, a revolucionária irlandesa Maud Gonne, e o poeta e ganhador do Nobel William Buttler Yeats. Este último, junto com Crowley, protagonizou um incidente notório dentro do Aurora Dourada. Quando Crowley mostrou uma tendência a usar seus poderes ocultos mais para o mal do que para o bem, os seguidores da Ordem, liderados por Yeats, decidiram não conceder-lhe iniciação no círculo íntimo, temendo que ele profanasse os mistérios e irresponsavelmente direcionasse poderosas forças mágicas contra a humanidade. Crowley se recusou a aceitar tal decisão e começou a lançar vários ataques astrais contra Yeats.

Vendo que tais procedimentos não o levavam a alcançar seu objetivo, um dia ele vestiu um terno xadrez, pendurou uma cruz preta em seu peito e vestiu-se no Templo da Aurora Dourada, em Londres. Fazendo o sinal do pentáculo invertido e proferindo ameaças aos seguidores, Crowley começou a subir as escadas. No entanto, Yeats e dois outros feiticeiros brancos vieram resolutamente à sua frente, prontos para proteger o que consideravam seu lugar sagrado a todo custo. Quando Crowley chegou ao primeiro andar, ele foi recebido duramente, derrubado violentamente e rolou pelas escadas. Este incidente ficou conhecido como a *Batalha de Blythe Road*.

Algumas palavras sobre a OTO ou Ordo *Templi Orientis*, uma organização que dizia ser a herdeira dos antigos guerreiros templários. Foi fundada por Karl Kellner, que alegou ter sido iniciado nos segredos da nova ordem por três magos do Oriente. Uma mistura de tantra yoga e magia ocidental, geralmente derivada da tradição maçônica, era praticada lá. O resultado foi uma forma de magia sexual. No entanto, algumas modalidades desse tipo de magia praticadas no OTO, como o autoerotismo, não têm equivalente nos ensinamentos do Tantra Oriental.

Antes de Crowley assumir a chefia dessa entidade e reformá-la, a OTO era essencialmente uma ordem enraizada na tradição rosacruz, com muitos elementos maçônicos.

Crowley foi assim proclamado superior do ramo inglês da ordem por Theodore Reuss, que, por sua vez, herdou o cargo de Kellner após sua morte em 1905, após a publicação do livro de Crowley, Book of Lies, no qual ele acidentalmente descobriu o maior segredo de OTO. Uma circunstância que lhe deu imenso poder entre os seguidores.

Após a morte de Reuss, Crowley tornou-se o líder internacional da ordem. Ele então mudou os rituais para torná-los compatíveis com sua religião que ele chamou de Thelema, acrescentou outros à sua aparência e introduziu a magia homossexual como uma parte indispensável na ascensão aos graus mais elevados. Ele acrescentou o 11° grau, não apenas o inverso visual do 9°, que implicava magia heterossexual.

Após a morte de Crowley em 1947, Karl Germer assumiu a liderança, mas Kenneth Grant, um membro influente da ordem, formou seu próprio ramo da OTO em 1955, de modo que, após a morte de Kellner, a instituição se dividiu em duas organizações, a de Kenneth Grant, que excluiu a magia homossexual e incluiu novas técnicas e o ramo ortodoxo que perpetuou a prática antiga. Hoje, há muitos estabelecimentos que reivindicam o título da única ordem original do OTO, incluindo o Voodoo de Michael Bertiaux.

Karl Gustav Jung nunca pensou em si mesmo como um mágico; no entanto, ele contribuiu muito mais para o conceito moderno de magia do que muitos daqueles que se apresentaram como tal. Nasceu na Suíça, onde iniciou sua carreira como psicólogo médico, utilizando o método terapêutico da psicanálise, teorizado por seu professor Freud.

Jung foi um dos poucos cientistas que teve a coragem de entrar no mundo do ocultismo e tentar integrar e racionalizar seus conceitos teóricos, buscando adaptá-los aos seus princípios filosóficos, em vez de descartar automaticamente qualquer coisa remotamente relacionada à magia, como seus companheiros costumavam fazer. Jung, por outro lado, estudou alquimia ao longo de sua vida e seu livro *Psicologia e*

Alquimia, bem como *Misteriorum Coniuctionis,* foram frutos desse esforço. A contribuição mais importante de Jung para a magia moderna foi, sem dúvida, seus conceitos de inconsciente coletivo, arquétipos e sincronicidade.

Em contraste com o inconsciente pessoal de Freud, Jung definiu o inconsciente como um todo que engloba toda a humanidade, no qual todas as experiências do homem são armazenadas formando uma coleção de figuras, como demônios, anjos, deuses e espíritos, todos vivendo em uma realidade paralela, mas também dentro de cada ser humano.

A teoria dos arquétipos baseia-se no princípio de que certas imagens primordiais constituem a mais poderosa concentração de energia armazenada no inconsciente coletivo, que está incluída, como dissemos, no inconsciente individual, e tende a se expressar em todas as culturas, independentemente do espaço e do tempo, ou seja, conectadas ou não. Ele deu exemplos do arquétipo: o herói, a criança, a mãe, etc.

O conceito de sincronia explica a conexão entre eventos que não parecem estar relacionados por causalidade, ou seja, por uma relação de causa e efeito.

Ele foi o primeiro a usar o termo realidade psíquica para descrever eventos sobrenaturais.

Jung também lançou as bases para os fundamentos científicos da magia, e muitos magos aceitaram esses fundamentos e continuaram a construir sobre eles. O mundo astral, por exemplo, parece ser o equivalente em muitos aspectos do inconsciente coletivo.

Austin Osman Spare alcançou sua consagração como autor de literatura mágica quando recebeu apoio de Kenneth Grant para seu livro *The Cults of the Shadow.* Durante sua juventude, Spare foi membro da ordem Argentum Astrum de Crowley e continuou a se associar a ela durante seus anos de estudante, até que publicou *The Spotlight of Light.*

Spare afirmou que a Sra. Peterson, uma velha misteriosa que dizia pertencer a uma linhagem de várias gerações de bruxas, o havia apresentado à bruxaria. Ela testemunhou que possuía o poder de materializar seus pensamentos quando não podia expressá-los em palavras. Eles costumavam ir a muitos Shabats usando seus corpos astrais, já que o Shabat acontece no plano astral.

Spare também era um pintor talentoso que ganhou a Bolsa Real para entrar em uma escola de pintura.

Publicou dois livros, O *Livro do Prazer* e *O Destaque da Luz*, além de um grimório que deixou inacabado. Ele alegou que seus livros foram ditados a ele pelo gênio de sua família, a quem chamou de *Águia Negra*. Seu método mágico se baseava na energia sexual condensada através de selos especiais que ele usava para evocar espíritos, bem como para materializar desejos. A Técnica do Selo, juntamente com seus ensinamentos sobre Zos, o corpo como um todo, e Kia, a alma imortal, foram incorporados e desenvolvidos por Peter Carroll para formar o que é conhecido hoje como Caos Mágico.

Franz Bardon, de origem alemã, nasceu na antiga Tchecoslováquia. Sabemos pouco de sua vida, e devemos isso principalmente aos seus livros, especialmente a *Frabbatto*, o mágico, que é uma espécie de autobiografia.

Durante a Segunda Guerra Mundial, ele foi preso e torturado pelos nazistas, porque ele não queria usar seus poderes e conhecimentos em benefício deles, e após a guerra, ele também foi perseguido pelo governo comunista, novamente por causa de seu conhecimento e poderes. Além de *Frabbatto*, ele escreveu outros três livros: *O Caminho do Adepto Real*, um tratado sobre auto-iniciação, *A Evocação dos Seres Espirituais* e *A Chave da Cabala Real*.

Ele deu instruções em suas obras, passo a passo, com descrições detalhadas de cada conceito e técnica, de seu método mágico. Seus tratados são divididos em séries, que vão desde os exercícios mais simples até os exercícios mais complicados e ambiciosos, com períodos definidos relacionados a cada um dos graus. Embora Bardón continue proclamando que está tentando enfatizar o lado prático da magia, a verdade é que, como já acontecia com Eliphas Levi, ele gosta de estender dissertações sobre vários assuntos, muitas vezes improdutivos. Apesar disso, seus conceitos e técnicas, especialmente a relativa aos fluidos de condensação, não são desprovidos de importância e originalidade em benefício da tradição mágica ocidental. Muitos daqueles que agora afirmam ser mestres da magia se apropriaram de uma parcela significativa de suas técnicas, sem lhe dar qualquer crédito.

Como vimos, a tradição mágica e esotérica não é relegada ao que o homem moderno, no paroxismo do orgulho e da cegueira, considera ser a idade das trevas, na qual o espírito humano evoluiu, certamente, mas permaneceu acima de tudo primitiva e, de certa forma, infantil, mas que, em nossos dias, figuras continuam a surgir, como Karl Jung ou Yeats, que, juntamente com outros indiscutivelmente mais controversos, para citar apenas um exemplo, o de Aleister Crowley, sabem como nos conduzir às portas do mistério absoluto, deixando-os abertos para que possamos vislumbrar como, do outro lado, homens e deuses geralmente começam a dançar juntos.

A ideia que parece emergir dessa apresentação sucinta do fenômeno mágico hoje em dia é que a magia está tentando retornar ao rebanho da ciência, do qual há muito foi expulsa. Há muitos campos que antes eram considerados exclusivamente mágicos, que agora fazem parte da ciência, como é o caso da hipnose, que se tornou uma parte importante da psicologia, e o mesmo vale para a sugestão. Não há dúvida de que a magia provavelmente fornecerá ao homem um método seguro de desenvolvimento pessoal e progresso no reino interior negligenciado. A magia, assim como outros caminhos espirituais, tendem a preencher o vazio deixado na alma do homem moderno pela ciência materialista, que sistematicamente rejeita qualquer indício de espiritualidade. O encontro final entre as ciências espirituais e materiais pode já ter começado. Além disso, parece inevitável, nem que seja pela lei imutável do pêndulo que, até agora, sempre funcionou.

VIII. CONCLUSÃO.

Nós os revisamos, sem esgotá-los, é claro, porque exigiria não um livro, mas uma enciclopédia, e não uma das mais sucintas, uns cinco ou seis mil anos de história religiosa e mística ocidental. Depois disso, não é exagero dizer que, com nuances, a substância é sempre a mesma, sendo a diferença encontrada apenas no detalhe. Uma comparação a partir da linguística gerativa poderia nos ajudar a compreender o fenômeno. Digamos com Chomsky que a estrutura profunda é a mesma, o que muda é a estrutura da superfície. Alguns são politeístas, outros são monoteístas, outros são a favor do livre-arbítrio, outros são contra, alguns adoram santos ou um arquétipo da Virgem ou Ísis, etc. Outros exclusivamente a Deus. Alguns concordarão em representar a divindade em imagens, outros a vetarão. Cada um deles chamará seu deus por um nome diferente. No entanto, tudo isso nada mais é do que a estrutura da superfície. Na estrutura profunda encontramos sempre a mesma coisa, isto é, uma Energia Primordial, Uma e Múltipla ao mesmo tempo, emergindo, em dado momento, do Vazio Absoluto e Indiferenciado ou do Caos, em busca de uma ordem progressiva ou Cosmos; a Luz Astral, o Segredo ou o Fogo Espiritual e a Sombra, para usar o termo usado pelos sacerdotes egípcios, a palavra moderna, inventada pela psicanálise, seria Inconsciente, individual neste caso, coletivo de Jung já dissemos que pode estar relacionado à Luz Astral. Esse Inconsciente individual seria como o reverso daquela centelha divina unida a cada Alma humana e que chamamos de Espírito. O Inconsciente sempre nos conecta a esse vazio absoluto e indiferenciado que é o Caos, e que possui uma tremenda concentração de energia. Adequadamente sugerido, ou sugerido por si mesmo, é uma fonte de maravilhas. Submetido à hipnose, pode dar ao corpo, por exemplo, uma prodigiosa rigidez e consistência. Por definição, ela não entende nem o bem nem o mal, ela é o Leviatã do Livro de Jó, a criatura favorita de Jeová, que, antes de Jó, está cheia de louvor para ela como para qualquer outra; que, aliás, são louvores, nem mais nem menos, à força bruta, à força cega, à tirania santificada da natureza sobre o homem: "Podes puxar o Leviatã com um gancho, ou com uma corda, podes manter a cabeça baixa? Você pode colocar uma cana em suas narinas, ou perfurar suas mandíbulas com um espinho? Ele fará muitas súplicas a você ou falará com você gentilmente? Ele fará uma aliança com você, para que você possa escravizá-lo indefinidamente? Você vai brincar com ele como um pássaro, ou amarrá-lo para o seu pequeno?... Coloque a mão nele. Lembre-se da batalha. Não volte a fazê-lo." E assim, em todo o capítulo 41 de Jó. O poder substitui a razão.

Harold Bloom, em seu livro *"Onde Encontraremos a Sabedoria?"* nos diz: "O Leviatã e o Behemoth estão além de Jó, assim como o próprio Criador". O Todo-Poderoso.

Parte desse poder está dentro de nós. A parte restante, a parte leonina, está do lado de fora, mas em contato íntimo com ela. Ela envolve o mundo, o permeia, chamamos de Luz Astral, ou inconsciente coletivo. Se conseguirmos controlá-la, seremos como deuses, desempenhando assim o papel que nos foi atribuído na Criação; se é ela quem nos governa e conduz, a parte e a herança que nos espera é a loucura e a morte, como foi o caso do capitão Ahab em Moby-Dick, e com ele toda a tripulação do Pequod, exceto Ismael.

Eliphas Levi nos assegura que a Luz Astral é o Tosão de Ouro, ou o Santo Graal, em busca do qual foi lançada a cavalaria cristã da Idade Média, essa Taça de Ouro, esse Vaso Sagrado, esse Cadinho onde o princípio masculino se funde com o feminino, uma união que gera energia imensurável e que os alquimistas chamam de pedra filosofal. No entanto, o cavaleiro deve ter em mente que essa donna angelicata nada mais é do que uma imagem sobre a qual repousa sua fantasia, uma alavanca que o eleva. E que todo o processo de trabalho se dá no nível do inconsciente coletivo, e não no plano real. Ai daquele que confunde o arquétipo com a pessoa física. Dom Quixote sabia, ou pelo menos Cervantes sabia.

À noite, às vezes até durante o dia, a Sombra vaga na Luz Astral e tudo vê, sente tudo, à sua maneira, sem distinção entre o bem e o mal, sem o uso da razão, sem ética e sem moralidade. O conglomerado perceptivo é apresentado a ele em seu estado bruto.

Para brincar com eletricidade, vale a pena ser eletricista. O homem moderno muitas vezes joga com forças cuja natureza ele não conhece e, acreditando que está fazendo o bem, estabelece o mal, prega o altruísmo e desencadeia o crime generalizado. A estrada para o inferno é feita de boas intenções.

Todas as religiões, inclusive a magia, são uma só e nos ensinam a canalizar nossas energias, a desenvolver nossas potencialidades, a atiçar nosso fogo secreto, nosso fogo espiritual. Todos pregam paciência e sacrifício. Uma renúncia moderada para a maioria, exigente para aqueles que decidem enveredar pelo caminho da perfeição. De qualquer forma, uma renúncia de si mesmo e uma marcada compreensão do outro: "Mesmo que eu fale todas as línguas dos homens e dos anjos, se eu não tiver amor, sou como um sino que vibra ou um prato que toca. Mesmo que eu tivesse o dom da profecia e conhecesse todos os mistérios e toda a ciência, mesmo que eu tivesse toda a fé, uma fé que pudesse mover montanhas, se eu não tivesse amor, eu não sou nada. Mesmo que eu tenha distribuído todos os meus bens para alimentar os pobres e dado meu corpo às chamas, se eu não tiver amor, isso não me serve de nada." (São Paulo, *Primeira Carta aos Coríntios*).

A magia, que visa o prazer sensual e gratuito, é rapidamente levada à magia negra, pois, caso contrário, o mago não progride.

A magia negra, dedicada ao mal, molda e alimenta o monstro que acabará por nos devorar. Porque o mal, cada vez que nos visita, deixa a sua pincelada, se não sempre no nosso rosto, pelo menos naquele retrato que mantemos escondido do olhar dos outros, na parte mais escura do sótão da nossa casa, como foi o caso de Dorian Gray. A magia negra exige o mal, invoca o mal, opera por intercessão do mal, e por isso acaba por despertar em nós os arquétipos mais infames, os destruidores, os devoradores, que nunca se deixam arrebatar em vão do seu sono, o que é uma trégua.

Pelo contrário, refugiemo-nos nas imagens que nos constroem, a fumaça de incenso subindo em cachos em direção ao teto, as janelas de nossa cela embaçadas, iridescentes pela luz vaporosa e emergente do amanhecer, mostrando o início de um dia azulado de inverno, coalhado de neve. Que assim se levante a nossa oração, lenta e seguramente, no meio desta serenidade impecável, enquanto a águia se eleva num céu que se sabe livre do mal e da ameaça. Que os nossos corações sejam também elevados àquela paz que nos foi prometida e que é a nossa verdadeira herança. O versículo 6 do Salmo 16 certamente se refere a isso: "Os acordes de medida caíram sobre mim em um lugar agradável. Verdadeiramente, minha posse me satisfaz."

Bernard de Worms escreveu este livro em 2019.

Also by Bernardo de Worms

El cáliz y la espada

De repente esa luz

Aunque camine por el valle de sombra de muerte

Standalone

El fuego secreto

Le feu secret

The secret fire

Das geheime Feuer

O fogo secreto

Milton Keynes UK
Ingram Content Group UK Ltd.
UKHW011944010124
435297UK00004B/399